ENGAÑOS Y DELITOS

CRÍMENES EN TIERRAS VIOLENTAS Nº 2

RAÚL GARBANTES

ISBN: 978-1-922475-15-2

Página web del autor:
www.raulgarbantes.com

amazon.com/author/raulgarbantes

goodreads.com/raulgarbantes

instagram.com/raulgarbantes

facebook.com/autorraulgarbantes

Obtén una copia digital GRATIS de *Miedo en los ojos* y mantente informado sobre futuras publicaciones de Raúl Garbantes. Suscríbete en este enlace:
https://raulgarbantes.com/miedogratis

El barrio de La Favorita ya no volverá a ser el mismo: está marcado a fuego. El olor a quemado que lo impregna es un efluvio macabro y persistente. La enseña del barrio será, por mucho tiempo, la ceniza que ahora se adueña del paisaje, prueba del incendio que los bomberos acaban de controlar.

Aneth Castillo sujeta con fuerza el pañuelo que le cubre el cabello y casi todo el rostro. Su piel blanca llamaría enseguida la atención, aún más de noche. Camina, a propósito, ligeramente encorvada. El paso firme y elástico al que está acostumbrada como inspectora de Policía sería demasiado llamativo. A ratos lamenta haberse puesto aquella falda larga. Aunque es cierto que pocas mujeres del barrio de La Favorita usarían pantalones, ella se encuentra muy torpe. Las piernas tropiezan en la tela a cada paso. Lo único bueno es que le permite avanzar despacio e ir fijándose en el terreno. Llegó a buscar pistas y no se irá sin conseguirlas.

A su alrededor, la calurosa brisa nocturna esparce un confeti de restos quemados que le ensucian el disfraz. ¡Disfraz! Para aquellas gentes que la observan, quizá con curiosidad al inicio, luego retomando la tarea de clasificar lo aún salvable de sus míseras viviendas, esta ropa es incluso un lujo. Ella ha tenido que conseguirla de urgencia gracias a una antigua conocida, América Herrera, del orfanato Familia Casa Hogar.

Según se adentra en el laberinto de viviendas calcinadas recuerda la voz de advertencia de su jefe. Tuvo que pedirle permiso para aterrizar en el corazón de la catástrofe, pero al comandante Sotomayor no le ha gustado la idea de que acuda allí, por más que confíe en sus capacidades. «Solo hay dos barrios en Sancaré que escapan al dominio de la ley», le ha recordado, «si uno de los míos se interna allí no le garantizo su integridad. Son La Paila y La Favorita». Aneth conoce el primero, en el corazón de la ciudad. Del segundo solo sabe que está localizado en el extremo occidental de Sancaré, casi en las afueras. Ambos habitados por delincuentes y parias, aquellos de quienes las clases dirigentes preferirían ignorar su existencia, salvo para arrinconarlos en esos guetos.

Aneth sabe que Sotomayor se siente responsable de ella de alguna forma por haber solicitado su traslado a la ciudad en cuanto ascendió a inspectora, hace apenas unos meses. También por su juventud. Pero ella no es de las que se arredra por el peligro. Quizá peca de lo contrario, de temeraria.

Sigue observando el panorama. Los tablones de madera han ardido por completo. En el suelo yacen los restos de las chapas metálicas ennegrecidas, y jirones de ropa quemada, blancos de ceniza. Los *favoritos* han ido haciendo pequeños montículos reuniendo los despojos. Aneth los examina con rapidez y luego avanza a un paso estudiadamente lento.

De repente, un reflejo amarillo capta su atención. Procede de un montón de desperdicios acumulados a su izquierda. Se acerca con parsimonia disimulada y distingue el contorno. Parece una botella o, más bien, un cilindro amarillo.

Aneth se detiene un instante y se endereza en toda su estatura, alerta. Ha sentido un picor en la nuca, la sensación inconfundible de que alguien la espía. Gira la cabeza despacio, pero no ve a nadie más que a los *favoritos* que se ha estado cruzando por el camino, enfrascados en la tarea de reconstruir sus casuchas. Sin embargo, la noche ha construido muchas sombras donde esconderse, que ella escudriña sin éxito.

Sin dejar de experimentar aquella sensación molesta, Aneth se acerca muy despacio al montículo, mirando sin cesar a su alrededor. Aparta los tablones renegridos que lo ocultan y las manos se le tiznan enseguida. Se inclina para observar mejor aquel recipiente amarillo que ha dejado al descubierto. Es cilíndrico, sí. Diría que es…

Y antes de que se dibuje el concepto en su mente, siente el golpe terrible en la cabeza que origina que se haga de noche por completo.

2

LA ESTACIÓN DE POLICÍA no es la misma sin el jefe Goya. A Aneth le parecía increíble que, en tan poco tiempo, hubiera podido encariñarse con un hombre como él. De Guillermo Goya admiraba la inteligencia y aquel sexto sentido extraordinario para los casos, el mismo que le valió el respeto de toda la ciudad, el apelativo respetuoso de «jefe» Goya y un cheque con su salario por orden del mismísimo alcalde a pesar de que el suyo era un permiso sin fecha establecida. Y, sin embargo, también había conocido el lado menos «amable» del inspector: su alcoholismo, la adicción a las drogas, el trauma por aquel compañero que no logró proteger. Pocas personas podían superar este bagaje de problemas cuando estos coincidían al mismo tiempo. Y ella le reconocía mucho mérito al intentarlo.

¿Quizá le recordaba a Pedro, su padre? Al fin y al cabo, también este había sufrido el duro golpe del abandono de su mujer, que además le dejó con un bebé —la propia Aneth— para criar. No, no eran comparables. En el caso de su padre, no había muertos de por medio. La delicada conciencia de

Goya le acusaba día tras día de una tumba que no debiera haber sido ocupada, y parecía incapaz de sobreponerse sin un opiáceo que le indujera al olvido, aun si eso le había costado el matrimonio y la relación con su hija Laura.

Aneth había conocido al «mítico» jefe Goya en el caso de la Diva Rosales. Fue casi milagroso que él hubiera aceptado ayudarla, dado el estado en el que lo conoció. Aun así, enganchado al alcohol y a las pastillas que controlaban su adicción a otra droga peor, Aneth le vio actuar en muchos momentos con gran lucidez. Ella había querido aprender del mejor y lo tuvo a su lado. Debió estar pendiente de él, facilitarle el compuesto que mantenía su *mono* a raya, pero, por lo demás, disfrutó con cada arranque de energía del inspector, viendo cómo recuperaba el apetito y se implicaba en la investigación. Aquello era el comienzo. Lo más difícil se había logrado. Goya consiguió reunir fuerzas y asomar fuera del infierno en el que se había instalado. Aneth se felicitaba, en silencio, por la parte de mérito que le correspondía.

Y, entonces, Guillermo Goya recayó. El propio comandante Carlos Sotomayor quiso consolarla.

—¿Conoce ese grabado del pintor, el que se apellidaba igual que nuestro hombre?

Aneth lo negó con la cabeza. Su madre era poeta, y su padre no permitió que la literatura ni otras disciplinas artísticas entraran en su casa. Le recordaban a la fugada.

—Hay un grabado de Francisco de Goya con este título: *El sueño de la razón produce monstruos.* —El comandante apoyó una mano en el hombro de la inspectora—. Batallar con monstruos es muy duro, Castillo. No se lo tenga en cuenta.

Por supuesto que lo entendía. Había sufrido una decepción, pero no era la última batalla y la guerra no estaba perdida. Lo supo, además, cuando el inspector Goya apareció en la estación de Policía una tarde, tras la recaída. Olía a colonia desde lejos, lo que significaba que había bebido y buscaba disimular el rastro. La ropa estaba mal planchada, pero limpia. El pelo, engominado.

Se arremolinaron en torno a él, casi sin atreverse a saludar. Alguien lanzó por fin la ansiada pregunta.

—Jefe Goya, ¿vuelve con nosotros?

Se cruzaron las miradas entre el comandante Sotomayor y el inspector Goya. Estaba claro que habían tenido una conversación privada.

—Volveré, sí. —La voz le salió ronca y carraspeó un par de veces—. Cuando me haya recuperado de mi adicción a la heroína. Esto no es vida, carajo.

Nadie quiso hacer bromas de aquella declaración. Si alguien lo había sospechado, ahí estaba la declaración, desnuda, fría.

—¿Va a algún lugar especializado, jefe Goya? —El que había preguntado era Márquez, el médico forense. Evidentemente, quien comprendió que el inspector iba a necesitar ayuda profesional.

Goya asintió con un movimiento de cabeza y luego alzó la mano en gesto de despedida.

Ahora llevaba dos meses ingresado en una clínica de desintoxicación y Aneth le echaba de menos. Mucho. Sobre todo en ese momento, en que eran las tres de la tarde y contemplaba la pila de papeles que se encontró a su regreso de Aborín, sin decidirse a abrir ningún expediente. Se imaginaba el modo expeditivo con el que Guillermo Goya hubiera afrontado el trabajo, agarrando su chaqueta y lanzándose a la calle. Pero estaba sola, y el peligro era que su cabeza la ocupaban otros pensamientos más recientes y profundos, como la frase que se venía repitiendo desde que regresó de su pueblo: «Esta vez sí que la he liado con Vicente».

La relación con su novio era una auténtica montaña rusa

de emociones. Después de dos años, varios «démonos un tiempo de reflexión» y un aborto natural en medio de una de aquellas crisis de la pareja, Aneth ya no estaba muy segura de lo que realmente deseaba. Lo quería, por supuesto. Por eso siempre terminaba regresando con él. Pero a veces le sucedía lo que Pedro, su progenitor, decía con sabiduría infinita: «Viaja mejor quien va más liviano». Y a ella le sobraba Vicente en demasiadas ocasiones en el viaje de su vida.

Tomó el celular y marcó uno de los números que tenía en la memoria. La voz de una mujer madura se dejó oír al otro lado, saludando con su nombre y el del establecimiento.

—¿En qué puedo ayudarle?

—Buenas tardes —respondió Aneth—. Deseo hablar con Guillermo Goya.

La mujer, sin perder un ápice de su amabilidad, le indicó que solo los familiares estaban autorizados a hablar con los pacientes.

—Soy familiar. —Imaginó que era posible que Laura hubiera estado allí, visitando a su padre, así que eligió otro nombre—: Su mujer, Silvia.

—Aguarde un instante, señora Goya.

Cuando escuchó la voz ilusionada de Guillermo Goya al otro lado, Aneth se arrepintió un poco de la treta. Quiso quitar importancia al asunto diciendo que no había derecho a que no se considerasen familiares a los compañeros policías.

—Ya está bien, Castillo. Dime para qué me has llamado. —Al menos la voz de Goya sonaba bien. Enfadada, pero enérgica.

Aneth se sintió avergonzada aun antes de hablar.

—Te echamos de menos, Goya. Hace semanas que estás en ese lugar. Debes recuperarte pronto para que podamos volver a patrullar juntos. Como tardes mucho me asignarán un nuevo compañero.

—¿Qué sucede? ¿No hay emoción en Sancaré desde que yo me fui?

—Por desgracia, siempre hay. Lo último ha sido un caso de prostitución infantil en el asentamiento Nueve de febrero. La niña tenía diez años, ¿te lo puedes creer? Pero como era un turista extranjero se fue sin recibir ningún castigo.

—No será tu última experiencia, recuérdalo. Los *novenos* se han instalado allí precisamente porque saben que es la ruta hacia el balneario de Santa Laura.

Aneth frunció el ceño.

—Ya es un problema que esa pobre gente no tenga de qué vivir y acabe prestando todo tipo de «servicios inmorales» a los turistas, incluso a costa de menores de edad, pero lo que me parece terrible es que nuestra propia policía se deje sobornar, y el violador, porque otro nombre no tiene, se vaya impune por otra niña.

Se oyó el suspiro del hombre al otro lado.

—No es un problema sencillo. Y quizá te resulte duro oír esto, pero los *novenos* alquilan a sus niñas, y a sus niños, y cobran por ello. Es un dinero más rápido y sustancioso que otro tipo de trabajo.

—Entonces el problema es permitir que exista el Nueve de Febrero, si solo potencia la corrupción.

—Estás levantando apenas la punta de la alfombra. La gente del asentamiento es nativa de la zona, indígenas, y sufren discriminación racial. No les admiten en la ciudad, no les contratan en la mayor parte de los trabajos… Son primos hermanos de los *favoritos* y los de La Paila. Gente desechada de la sociedad. Pero está bien que tengas esos pensamientos. Hace falta gente honesta.

Aneth vio en la última frase la oportunidad de contratacar.

—Por eso, porque somos pocos, te necesito recuperado y de vuelta. —Sonrió.

—Aneth, deja de preocuparte por mí, que me valgo yo solito. ¿Y qué problema hay en que te coloquen un nuevo compañero? Eso sí, que esté a tu altura. Y que sea joven y guapo.

—Mira que eres pendejo.

—Además, seguro que no tarda en llegar algún caso para que no te aburras.

En ese momento asomó por la puerta un colega y le hizo el gesto inequívoco de «Sotomayor quiere hablar contigo».

—Goya, tengo que dejarte.

—¿Cómo? ¿Ahora las prisas? ¿No me cuentas nada de Aborín ni del chico que tenías allí?

Aneth tragó saliva.

—Te dejo, Goya. Vuelve pronto.

Finalizó la llamada. Tuvo en la punta de la lengua hablarle del bebé en camino. «Maldito Sotomayor y sus inoportunas reuniones», pensó Aneth.

3

El comandante Carlos Sotomayor no estaba solo en el despacho. Allí se encontraba ya el criminalista Hilario Cota. Este último se levantó cuando Aneth entró. La diferencia de estatura entre ambos era notable, Cota no sobrepasaba el metro cincuenta y la joven le llevaba veinte centímetros más. El tono apiñonado del primero contrastaba con la piel blanquísima de ella. El criminalista estrechó la mano de su colega y volvió a sentarse.

—Buenas tardes, inspectora Castillo —dijo Sotomayor—. Estaba empezando a poner al día a Cota, viendo que no llegaba.

Aneth murmuró una disculpa y tomó asiento frente a la mesa del comandante. Le llamó la atención que hubiera una tercera silla, desocupada. Dada la disposición habitual del despacho, se veía que la colocaron de modo extraordinario.

—¿Esperamos a alguien más?

—Sí. —Sotomayor parecía impaciente—. Pero está al tanto de todos los detalles y se nos unirá luego.

Dirigió una mirada a ambos policías y entonces comenzó

a hablar:

—Como le iba diciendo a Cota, ha desaparecido una menor, pero su padre desea que este hecho sea mantenido en secreto. Nadie ha contactado a los padres, por lo que la hipótesis del secuestro no se maneja aún. Sin embargo, dada la posición económica y el estatus de la familia, sería más que posible.

»Pensando en esta posibilidad, hemos hecho acudir a nuestra estación, con carácter urgente, a un inspector de Policía especializado en desapariciones. Deseamos que colabore en el caso mientras Goya permanece de baja. Hemos tenido suerte de que nos lo hayan podido asignar y no se encontrara ocupado con otro expediente. Como les digo, la persona cuya hija ha sido secuestrada es muy importante.

Mientras Aneth asimilaba la noticia de un nuevo compañero, el comandante se comunicó con su secretaria por el intercomunicador: «Llama a Matías Vélez».

Como si este hubiera estado aguardando detrás de la puerta, en breves segundos se oyeron unos golpes pidiendo permiso para entrar.

—Adelante —dijo Sotomayor.

Aneth no tuvo tiempo de imaginárselo y, a buen seguro, probablemente hubiera sido un retrato parecido a Hilario Cota o Márquez, por eso fue una auténtica sorpresa la visión del hombre en el umbral. Apenas fue consciente de estrecharle la mano mientras se erguía en el asiento y se presentaba: «Inspectora Aneth Castillo». Todos sus esfuerzos se concentraron en mantener la calma y no ruborizarse, algo que resaltaría de modo muy evidente en su piel blanca.

Vélez poseía todas las cualidades necesarias para ser descrito como «muy atractivo». Era joven, quizá con algunos años más que ella. Alto pero no en exceso. Atlético sin ser muy delgado. La piel era morena; los cabellos, negrísimos; y, en contraste, ojos de un verde intenso. Era precisamente ese binomio de ojos claros y cabello y tez oscura los que le dotaban de una hermosura llamativa.

¿No era Goya el que momentos antes le había deseado a Aneth un compañero joven y guapo? Tendría que preguntarle dónde guardaba su bola de cristal. Les podría ser útil para futuras investigaciones.

Los tres policías se sentaron frente al comandante y Sotomayor continuó su narración.

—El padre de la niña secuestrada es Dionisio Santos.

Hizo una pausa efectista que obtuvo su respuesta. Hilario Cota emitió un prolongado silbido y Matías Vélez se inclinó un momento hacia adelante en el asiento como si quisiera hablar, pero no llegó a hacerlo. Solo Aneth permaneció inmóvil. Era en esas ocasiones cuando se daba cuenta de lo que significaba haberse criado fuera de Sancaré.

Hilario movió las manos nerviosamente.

—Ese hombre está en todas partes. Su emblema figura en la mayoría de las obras de construcción que hay en marcha ahora. Cena con el alcalde casi todas las semanas.

Sotomayor afirmó, refrendando las palabras de Cota.

—Su fortuna es de las mayores del país, ya no solo de Sancaré. Vive en el condominio del barrio Villablanca, pero esa es solo una de sus muchas mansiones.

—Cierto. —Vélez tomó la palabra—. También lo conocemos en Becerrilla, mi ciudad. Ha edificado mucho allí, sobre todo hoteles y complejos turísticos. Pero aunque está especializado en turismo, también se dedica a viviendas de estrato siete.

—¿Estrato siete? —Aneth intervino por vez primera. Había visto la denominación de los estratos en el recibo de alquiler de su piso. La suya era de estrato cuatro, y ya le parecía demasiado, sobre todo por la cantidad que pagaba por los servicios de agua, luz y gas—. Creí que solo había hasta el número seis.

—Y así es, Castillo —aclaró Sotomayor—. No existe aún reconocimiento formal para los que pueden adquirir una vivienda de este estilo, pero se encuentran en un nivel bastante por encima de las clasificadas como estrato seis. Estamos hablando de mansiones para gente acaudalada: millonarios y aquellos cuyo patrimonio supera los mil millones de dólares. Dionisio Santos pertenece a este grupo.

—Entiendo —dijo Aneth. Lo cierto es que no deseaba ahondar más en el tema porque la sola mención del dinero le había producido cierta repulsa—. ¿Y cuántos hijos tiene?

El comandante Sotomayor abrió el dosier que tenía frente a él y sacó varias fotografías de una niña, más bien adolescente.

—Solo una, de doce años. Se llama Gabriela. Es hija de su matrimonio con Salomé Mendizábal, de la familia de los banqueros. Es una pareja bien avenida, se les ve siempre juntos en los actos sociales. Están desolados por la desaparición.

—¿Sabemos cómo pudo suceder? —inquirió Vélez—. Un hombre como Santos debe vivir en una mansión fortificada, me resulta inconcebible que lograran hacerse con su hija.

Sotomayor cruzó las manos sobre los papeles mientras los tres policías frente a él examinaban las fotografías. Gabriela tenía rostro de niña, cabello oscuro largo y rizado, y ojos castaños y dulces, como de cervatillo.

—Dionisio Santos dice que la última vez que supo de su hija fue hace seis horas, cuando el chofer la dejó en el colegio privado en el que estudia. Los padres no la acompañan. El chofer la deja en la puerta del colegio con sus amigas. Ese fue el momento que debió escoger el secuestrador, porque la niña nunca llegó a entrar a la clase. —Sotomayor alzó las manos en gesto teatral—. Llamaron directamente al padre desde el colegio, como es su política, para preguntarle por qué no había acudido Gabriela, ya que no les avisaron ni llevado justificante el día anterior.

»El señor Santos me comentó que, en un inicio, creyó que era una travesura rebelde de adolescentes, ya que Gabriela había empezado a tener comportamientos así. No quisieron alarmarse. Entre su mujer y él averiguaron con otras madres si las amigas de su hija habían hecho algo parecido. Entonces confirmaron que solo faltaba ella. Y aquí viene lo interesante. —Sotomayor se echó hacia atrás en el asiento y cruzó las manos sobre el vientre—. La mejor amiga de la niña, que se llama Denisse, dice que la espió y la vio hablando con una mujer a la puerta del colegio antes de entrar. Y esa fue la última vez que se supo de Gabriela.

Como era evidente que el comandante Sotomayor había terminado su exposición, Matías intervino.

—Me parece bastante claro que se trata de un secuestro. Si el señor Santos asegura que no lo han contactado, solo hay dos salidas posibles: o están esperando a algún acontecimiento, o el empresario no ha sido sincero con nosotros y sí lo han hecho ya.

Aneth afirmó con un gesto de cabeza. Ella llegó a la misma conclusión.

—Muy bien, señorita, caballeros. Vamos a intentar resolver este supuesto rapto con la mayor celeridad. Inspectores Vélez y Castillo, les encargo que vayan a hacerle una visita al empresario. Cota, mire a ver qué consigue extraer de la amiga de la niña. Aquí le dejo la dirección.

Los tres se levantaron a un tiempo con tanta prisa que Aneth chocó sin querer con su nuevo compañero. Se cruzaron las miradas y, ahí sí, Castillo se maldijo por el inoportuno rubor que le dio color a sus mejillas.

4

Sancaré, a las cinco de la tarde, era un horno. El mar, en otros lugares, supone para las ciudades cercanas la promesa de la brisa fresca, de temperaturas apaciguadas. Pero no en el trópico. La humedad es altísima y el calor se adhiere como una segunda piel, el sudor se convierte en rocío evaporado, el cuerpo arde sin necesidad del reclamo de la pasión.

Aneth conducía, intentando relajar las manos sobre el volante. Había aprendido a no impacientarse con el tráfico. ¿Para qué? Eso solo acaloraba más, y era lo último que necesitaba en ese instante. Pero la circulación a esa hora era terrible. Ella se ofreció a llevar el coche, dado que conocía la ciudad mejor que su nuevo compañero. En realidad, apenas llevaba unos meses, pero las rondas la ayudaron a situarse en los cincuenta y ocho barrios. Lógicamente, no había estado en todos. Conocía La Favorita, el más peligroso, de oídas. Y una vez se había internado en La Paila, otro barrio peligroso, en busca de naloxona para Goya, aunque terminó llevándose otra droga. Lo que hiciera falta, con tal de ayudar a su compañero.

Jefe Goya. Qué lejos estaba ahora, no solo en distancia. Lo sucedido en la última hora había vuelto a llevarlo a un segundo plano. La realidad de la presencia de Vélez se impuso. Había olvidado lo incómodo que era viajar con alguien hacia quien se experimenta una atracción física. Debía controlar sus pensamientos, vaciarlos. «Es un compañero de trabajo», se dijo. Lo repitió como si fuera un mantra. Además, vivía en otra ciudad. ¿Qué nombre había dicho? Becerrilla, eso es. Le sonaba lejanamente. Volvió a sentirse una simple pueblerina que solo se encontraba cómoda en los confines de Aborín. Al fin y al cabo, ¿no terminaba regresando allí siempre? Al lugar donde su padre había fallecido, a la casa de su infancia, a los brazos de Vicente.

En Sancaré, Aneth se había instalado en el barrio de Olivares, aunque no sabía si acabaría mudándose. La casa era del estrato cuatro, estaba bien. Dejó la pensión de huéspedes que el comandante Sotomayor le recomendó a su llegada a la ciudad —regentada por su suegra— y temía que su jefe se hubiera disgustado por ello. Pero la joven deseaba intimidad, y pronto había comprendido que allí no la iba a tener. Sería inevitable que aquella buena mujer le fuese contando al comandante a quién llevaba a su cuarto. Si algún día Vicente iba a verla, como sucedió, no quería luego bromas de su jefe durante toda la semana. Así que, antes de que aquello ocurriese, localizó un apartamento en Olivares, un barrio bastante turístico y popular. Eso sí, había pagado no solo el alquiler del apartamento, sino también el soportar el bullicio, los bares y locales abiertos hasta altas horas de la noche en petición de los extranjeros, y la suciedad de las calles al día siguiente.

La zona que le resultaba absolutamente desconocida era aquella a la que se dirigían y a la que Aneth denominaba «VIVIP», uniendo las iniciales de los tres barrios del área y haciendo un juego de palabras con el estatus de sus moradores. El Vigía, Villablanca y El Palmar concentraban a los millonarios de Sancaré. Albergaban condominios fuertemente vigilados, en los que era imposible penetrar a no ser que uno fuera residente o tuviera una invitación con garantía de responsabilidad por parte de uno de los propietarios. Era también sabido que los yates de lujo de la bahía tenían por dueños a residentes de los «VIVIP», y lo mismo podía decirse de los BMW, Mercedes-Benz, Audi y Maserati que circulaban por la ciudad.

La inspectora Castillo suspiró y regresó a la realidad del tráfico en Sancaré, y al copiloto que la acompañaba. Matías y ella acordaron tutearse, pero salvo ese breve intercambio al inicio, apenas hubo conversación entre ellos. Vélez estaba ocupado con su celular y su cuaderno de notas.

—Supongo que no tendremos problemas para entrar —dijo Aneth para romper un poco el silencio dentro del vehículo.

Su compañero no levantó la vista para responderle.

—El comandante Sotomayor se ha hecho cargo de las gestiones. Me ha dicho que ya lo había hablado con Dionisio Santos antes de tener la reunión con nosotros.

—Muy bien.

—¿Tardaremos mucho en llegar a Villablanca?

—Un poco. No está lejos, pero hay bastante circulación. Aquí se puede morir de un «ataque» de tráfico.

Matías emitió un sonido que bien podía ser una risa contenida.

Se oyó el sonido de un mensaje que llegaba al celular de Aneth.

—¿Quieres que te lo lea? —Vélez hizo el gesto de alargar la mano hacia el bolso de ella.

—No, gracias. —Aneth le miró, sorprendida—. Si fuera urgente, me llamarían. Lo veré luego, cuando lleguemos.

Tardaron casi tres cuartos de hora en alcanzar su destino. El momento de revisar el móvil llegó para Aneth durante el interminable rato que se tomó el guardia de seguridad del condominio para permitirles acceder. Matías salió del coche para discutir con el guardia en persona y ella aprovechó para leer el mensaje. Procedía de un remitente desconocido y decía: «No desaparezco por gusto». Por un instante se le presentaron tantas opciones acerca de quién podía ser que se quedó pensativa.

¿Sería, acaso, Vicente? Había pasado apenas una semana desde la ruptura del noviazgo y el regreso de ella desde Aborín, pero era muy posible. Además, estaba lo del bebé. Puede que su exnovio hubiera tenido que salir de viaje, creyera que Aneth le iba a intentar contactar y que, al no encontrarlo, pensara lo peor de él. Lo cual le recordó que tenía que tomar una decisión, y no podía tardar mucho. ¿De cuánto estaba? ¿Seis semanas? Vicente tenía derecho a conocer la verdad, no supo lo del aborto espontáneo, aquel niño que se malogró, pero debía tener valor para comunicarle la existencia de este.

También cabía la posibilidad de que el mensaje estuviera relacionado con el caso que tenían ahora entre manos: ¿la niña desaparecida? «No desaparezco por gusto». ¿Quién sería entonces la mujer que se la llevó? ¿Y cómo habrían conseguido el teléfono de Aneth, en ese caso?

Otra opción era Goya. Quizá se hubiera puesto a reflexionar después de la conversación telefónica de mediodía y le estuviera pidiendo disculpas por su ausencia, por dejarla sola durante aquellos dos meses. Eso le encajaba bastante. Y el número de remitente desconocido se justificaría porque, al estar aislado, le habían privado de su celular y estaría usando el de quién sabe quién.

Finalmente, podría haber una cuarta posibilidad que ella no intuía. Algo que se le escapaba, un dato que no terminó de procesar y que, en cualquier momento, terminaría de hacer conexión dentro de su cabeza. Porque, en el fondo, debía reconocer que las tres suposiciones anteriores no terminaban de convencerla.

Matías regresó al coche y la vio concentrada con el celular en la mano.

—¿Puedo ayudarte?

Aneth levantó la vista y luego lo miró.

—No, muchas gracias. Es un asunto personal, no te preocupes. Lo aclararé pronto.

5

Sonaba el *remix* de *Pray to God* de Calvin Harris a todo volumen. La casa tenía doble ventana, pero las reverberaciones se hacían sentir en los cristales. El calor también se había instalado en el interior, y ni siquiera el gran ventilador de techo de tres aspas ni el aire acondicionado conseguían refrescar a la mujer que estaba en la sala. Lo cual, por otra parte, no era extraño, ya que estaba volcada en hacer ejercicio físico de gran intensidad.

La habitación tenía el tamaño de un salón de baile y, como uno de estos, la recubrían espejos. La poblaban por completo todo tipo de aparatos de gimnasio: un banco de pesas multiposición con barra, una máquina de abdominales, unas mancuernas ordenadas en un rincón junto a unas colchonetas, una elíptica «nueve en uno» cardiovascular, una caminadora, una bicicleta estática y una bicicleta de *spinning*, que era en la que se entrenaba en ese momento.

A Valentina Cárdenas le agradaba contemplarse en los espejos mientras se ejercitaba. Nació con un físico musculado y le gustaba fomentarlo. Cualquier esfuerzo, por pequeño que fuese, hacía que los músculos se le dibujaran en la silueta. ¿Para qué luchar contra esa tendencia natural? Nunca supo lo que era un gramo de grasa sobrante en su anatomía, aunque sí el rechazo social por parecer una «culturista». Llegó un momento en el que decidió que más valía convertirse en aquello para lo que estaba dotada. A sus cincuenta años tenía la cintura más estrecha que Scarlett O'Hara —incluso su cabello oscuro—, y los bíceps tan marcados como Schwarzenegger, pero en versión femenina. Podría enviar a un hombre al hospital de un solo puñetazo, y a una mujer a la morgue. Y sin remordimientos. Quizá por eso se dedicaba a propinar palizas por encargo de terceros. No era un trabajo bonito, algo de lo que presumiría frente a su madre, pero cobraba bien.

El llanto se oyó por encima de *Stole the Show*, la siguiente canción de su lista de reproducción. Este nuevo encargo no le había gustado nada. Frunció el ceño, pero los gimoteos seguían escuchándose. Se levantó de la bicicleta y se quitó los guantes. Estaba sudorosa y se secó con una toalla que dejó cerca, apoyada en una silla. Sentía la malla mojada por completo. Perdió la consciencia del tiempo que llevaba allí. Miró el reloj. Eran las seis de la tarde.

Apoyó de nuevo la toalla en la silla y se dirigió hacia una de las dos puertas que daban salida a la habitación, la más pequeña. Se quitó la llave que llevaba al cuello y la abrió. Aparecieron a la vista unas escaleras descendentes. Según bajaba, el llanto cesó. Valentina sonrió con cinismo. «Demasiado tarde», pensó.

En el último piso una bombilla anémica iluminaba el espectáculo de una colchoneta, una manta y unas pocas revistas desperdigadas. Olía a calor húmedo. La niña estaba acurrucada en el extremo de la colchoneta, pegada a la pared. Quizá buscaba el frescor de estas. No era tan pequeña en realidad, pensaba Valentina. Doce años es una edad en la que las niñas empiezan a ser mujercitas. Pero aquella era todavía una infante. La miraba con ojos tremendamente abiertos, castaños. El pelo encrespado se le había desatado de la cinta y le caía por los ojos.

—Acércate.

La orden de la mujer no era para ser desobedecida. Gabriela se incorporó con dificultad y se acercó andando hasta ella. Justo antes de ponerse a su alcance sacó fuerzas para hablar.

—Solo quiero agua.

—He dicho que te acerques.

Cuando la niña dio dos pasos más, Valentina le dio una bofetada que la hizo caer sobre la colchoneta.

—Si vuelvo a oírte llorar, la próxima te dolerá más. Y no habrá agua, tendrías que haberlo pensado antes de ponerte a llorar.

Cuando subió las escaleras, Valentina apagó la luz y ya no quedó siquiera el consuelo de la bombilla a medio gas.

Jerónimo se sentó en el camino de tierra, de espaldas a la selva y encendió otro purito. «El *chapetón* no llega», pensó. Pasaban las ocho de la tarde y le había dicho a las siete. «Todos son iguales», siguió rumiando. Miraban a los nativos por encima del hombro, como si fueran poco más que bestias de carga, y sus hembras, mercancía para sus desahogos.

Pero luego, cuando Jerónimo los guiaba por el Parque Nacional de Sancaré y los subía a su bote para atravesar los manglares, ¿quién era el rey, eh? Ese era su momento de desquite. Le fascinaba observar los rostros aterrados de los *chapetones*, como les llamaba él, ante la visión de los cocodrilos, aun cuando eran los animales quienes huían, sumergiéndose a toda velocidad bajo el agua verde oliva. Soltaban chillidos de espanto hasta con el inofensivo revoloteo de los ibis y el piar de los cucos. ¿Y esos cobardes les habían robado sus tierras? ¿Por culpa de ellos malvivían ahora en casas de chapa y cartones?

Tuvieron que levantarlas en una sola noche para evitar que la policía pudiera desalojarlos. Un momento histórico aquel. El 9 de febrero. Parecía haber sucedido mil años atrás y había transcurrido poco más de un año. Catorce meses repletos de miserias en los que al menos la cercanía de La Favorita les había brindado protección frente a la policía, que no quería problemas. Al otro lado estaba la ruta hacia el Santa Laura, lo cual les garantizaba clientela con dinero fresco. Y aquella retahíla de demandas que el nativo conocía demasiado bien y, por desgracia, que también sabía atender: «Llévame las maletas», «Condúceme a la selva», «Búscame a una chica joven, ¿entiendes, indio? Pero la quiero muy, muy joven. Y si la puedo estrenar, mejor».

Jerónimo pensó en el hombre con el que se había citado, y que ya conocía de otra ocasión. «Al menos este *chapetón* no es de esos». Tenía aspecto de «matasanos», como les decía el indio, o al menos se vestía como uno. Llevaba una bata blanca abierta sobre la ropa y una mascarilla que le tapaba desde la nariz hasta el mentón. Como si se hubiera escapado de un quirófano a mitad de la operación. Jerónimo trabajó en un hospital, cuando era joven, fregando suelos. Reconocía a uno del gremio cuando lo veía. Lo llevaban en el porte, en la forma de mirarte, como si te hicieran la radiografía. Jerónimo ya sabía su sentencia. «¡Quiá! De algo hay que morir y fumar puritos me gusta demasiado».

Se oyó por fin el ruido de un motor acercándose por el camino. El indígena se puso de pie, tiró el purito medio consumido y se palmeó las bermudas. Iba a sacudirse también la camisa pero recordó que la había dejado tendida. Solo llevaba una camiseta blanca de tirantes, demasiado holgada, que mostraba el escaso vello gris de su pecho.

La furgoneta se detuvo en el recodo donde estaba apostado Jerónimo. De ella descendió un hombre muy delgado. No tenía mucho más de cuarenta años, pero la calva le hacía parecer mayor. Llevaba la bata abierta, como la otra vez que hablaron. También iba en bermudas —unas de algodón muy nuevas que hicieron avergonzarse al indio— y mangas de camisa, que mostraban unos brazos nervudos bajo la bata remangada. Una mascarilla le cubría el rostro, pero no alcanzaba a tapar parte de su perilla, que asomaba por debajo. Los ojos, redondos y oscuros, se posaron sobre el nativo.

—Siento el retraso. He tenido que esperar a que hubiese vía libre.

Le hizo un gesto a Jerónimo para que le acompañase a la parte posterior del vehículo. Abrió las puertas traseras y luego apartó las mantas que tapaban el contenido almacenado detrás.

—Ya sabes dónde tienes que entregar la mercancía. Esta noche. No me falles.

El hombre de la bata sacó un sobre de uno de los bolsillos de la bermuda.

—Ábrelo. Es para ti por el trabajo. Te lo pago todo por adelantado. La furgoneta te la puedes quedar.

Jerónimo tomó el paquete, vio los fajos de dinero y comenzó a sudar. No era el bochorno, a pesar de que lo hacía. Observó de nuevo al hombre de la bata blanca.

—Eso de ahí detrás, ¿no serán bombas?

El otro negó con un gesto.

—Te aseguro que no.

Se inclinó sobre él y, aunque nadie podía oírlos, le susurró unas palabras. El nativo pareció apaciguarse.

—Puedes irte tranquilo. Será un trabajo fácil.

Jerónimo vio que el hombre volvía de nuevo a la parte trasera, sacaba una bicicleta y se montaba en ella.

—¡Esta noche, *noveno*! ¡No me falles! —gritó mientras se alejaba pedaleando.

Jerónimo volvió a mirar el sobre y contó los billetes. Se encogió de hombros. De un salto se aupó a la furgoneta, cerró la portezuela, accionó el contacto y puso rumbo a La Favorita.

El lugar, sin duda alguna, era un paraíso. Había un bosque para perderse dando un paseo y zonas verdes para contemplar desde cualquier lugar al que uno se asomara. Los primeros cuarenta y cinco días de inmersión y aislamiento obligatorio pasaron para Goya casi sin sentirlos. Sin llamadas a deshoras para atender. Sin estrés por dominar. Había echado de menos, eso sí, oír la voz de Laura cada mañana, grabada desde hace mucho tiempo en su contestador. Sin embargo, él estaba allí cumpliendo el deseo de su hija, ¿no? Quizá pudiera llegar el día en que borrara el mensaje de una vez para siempre.

Laura lo había visitado. No llegó a verla, pero se lo dijeron. Primero en el hospital, cuando resolvieron el caso de la Diva Rosales en un final de película dramática. Y luego mientras estaba en su periodo de aislamiento. Probablemente regresaría pronto, después de las vacaciones.

Goya sonrió al recordar la llamada de Aneth. «Será pendeja, ¡mira que hacerse pasar por mi ex!». Pero lo cierto es que le gustó oír su voz pausada, joven, la ansiedad con la que pareció reclamar su presencia. El inspector detuvo sus pensamientos, no deseaba continuar por ahí. La inspectora Castillo tenía treinta años y bien podría ser su hija. Hermosa, audaz, en absoluto inocente de la vida, pero aún así muy joven para un perro viejo como él, ya trabajado en tantas guerras.

Algo, no obstante, lo había dejado preocupado. Nunca pensó que lo reemplazarían tan pronto. Se le ocurrió llamar a la estación nada más para saber cómo se las apañaban, y el bueno de Hilario Cota había cantado como un ruiseñor en pleno celo. ¿Quién era ese tal Matías Vélez, aparecido de no se sabe dónde, que ahora patrullaba con Aneth? Volvió a mirar por la ventana, intentando que la belleza del paisaje le sosegara el ánimo. Imposible. Debía reconocerlo: estaba tan molesto que casi cuelga el teléfono sin preguntarle al criminalista por el nombre de la niña desaparecida. Y eso hubiera sido un error. Un tremendo error.

6

Llegar a la mansión de los Santos en el corazón del barrio de Villablanca se convirtió en una odisea. Fueron necesarios tres controles con sus correspondientes esperas antes de que los inspectores Matías Vélez y Aneth Castillo fueran recibidos finalmente por el matrimonio en su salón.

Aneth se sintió de inmediato fuera de lugar. El empresario —o quizá era elección de su esposa— manejaba un gusto más bien ostentoso en la decoración, y no había espacio en la pared o en el suelo que no estuviese ocupado por algún detalle, ya fuera un cuadro, un tapiz, una alfombra u otro objeto decorativo. Matías, sin embargo, no parecía amedrentado por el lujo del ambiente. Se permitió hacer un par de observaciones sobre alguna de las piezas, lo cual le ganó el respeto de su interlocutor, y enseguida ambos inspectores fueron invitados a sentarse en dos sofás enfrentados que, a buen seguro, habían costado más de lo que Aneth ganaría en toda su vida de servicio.

—Permítanme entregarles mi tarjeta. —Vélez extrajo del bolsillo de su camisa dos cartulinas blancas y le acercó una a cada cónyuge—. Me gustaría que tuvieran mi número personal para cualquier dato que surja durante la investigación.

Miró en dirección a Aneth y ella se apresuró a buscar en el bolso sus propias tarjetas. Imitó el gesto de Matías y entregó dos. Luego sacó su libreta de notas. En el auto decidieron que Vélez sería quien llevaría el peso del interrogatorio y que ella observaría las reacciones del matrimonio.

Dionisio Santos, que hasta ese momento parecía haber estado conteniendo su impaciencia, se incorporó con brusquedad.

—Quiero que sepan que, aunque he acudido a la policía, no deseo publicidad alguna de este asunto.

—Por supuesto, señor Santos. —Matías extendió las manos en gesto apaciguador—. Ese punto ha quedado claro desde el inicio.

La esposa de Santos, Salomé según los apuntes de Aneth, tiró con suavidad de la mano de su marido para conducirle de nuevo a su lado. Este cedió.

—Además —prosiguió Santos una vez sentado—, no ha habido nota de secuestro. Estamos basándonos en hipótesis.

Vélez lo observó con fijeza.

—Sin embargo, señor Santos, reconocerá usted que deben existir personas con motivos para coaccionarle o desearle algún tipo de mal.

Él asintió con el gesto serio.

—Demasiadas, me temo. Es lo que sucede cuando uno se dedica a los negocios y gana mucho dinero. Despierta envidias y celotipias. Pero nadie me ha pedido un rescate en efectivo por mi hija, y Dios sabe que no dudaría en dar toda mi fortuna por recuperarla sana y salva.

Salomé apretó el brazo de su marido y ambos se miraron.

—¿Alguna sospecha concreta? ¿Ha recibido últimamente alguna amenaza?

Dionisio Santos inclinó la cabeza. Parecía vencido por el cansancio. Su cabello oscuro se les hizo visible, estaba entreverado de canas.

—Nada concreto. Además de empresario, estoy en otros círculos de influencia. Demasiadas personas a las que señalar. No sabría por dónde empezar ni qué pista darles.

Matías anotó algo en su propio cuaderno y Aneth cayó en la cuenta de que Salomé, la esposa, le estaba haciendo señas *a ella*. Cuando el marido levantó la cabeza y su compañero terminó de escribir, la mujer volvió a una pose tan disimulada que la joven vaciló sobre si realmente habría visto los gestos. Salió de dudas cuando la señora Santos se levantó de repente y dijo:

—Voy a avisar para que les preparen unos refrescos.

Las miradas de las mujeres se cruzaron fugazmente. Aneth carraspeó antes de levantarse con rapidez.

—Por favor, ¿podría indicarme dónde está el aseo?

—Sígame.

La inspectora fue consciente, mientras ambas se alejaban en silencio, de que el empresario había fruncido el ceño.

La puerta del baño estaba en el recodo siguiente. En cuanto salieron del campo de visión del cuarto, sin despegar los labios, Salomé le mostró un papel doblado a Aneth y se lo introdujo a la inspectora en uno de los bolsillos de su pantalón. Luego se apartó de ella y caminó hacia un teléfono inalámbrico que descansaba sobre una mesita en el pasillo. Comenzó a hablar con una tal Lucía.

Aneth sintió entonces una presencia a su espalda y vio a Dionisio Santos. La actitud del empresario confirmó a la joven que estaba sucediendo algo anormal. El hombre se detuvo junto a su mujer y le dijo que él prefería algo más fuerte, que le pidiese un combinado. Aneth entró en el cuarto de baño y se lavó las manos para hacer tiempo. Luego leyó el papel y deseó que la entrevista terminase pronto para poder comentarlo con Matías.

Después de las bebidas, la conversación duró poco rato más. Vélez le pidió al empresario confeccionar una lista de sospechosos y ambos policías se montaron en el coche de regreso.

—¿Y bien? ¿Qué piensas? —le preguntó Aneth a Matías.

—Creo que Santos oculta algo. Es bastante evidente. No ha hecho más que dar rodeos a lo largo de la tarde. ¿Y tú qué opinas?

—Si sacas cierto papel que Salomé Santos me ha guardado en el bolsillo derecho del pantalón terminaremos de conocer la verdad.

Matías la observó un instante, confuso. Aneth cayó en la cuenta del motivo. Ella le había pedido que tomara el papel porque estaba conduciendo, pero si lo hacía, la tocaría de un modo demasiado íntimo.

—Espera un momento —dijo azorada—. Ya lo saco yo.

Metió la mano en el bolsillo y le tendió la hoja doblada.

Vélez leyó en alto para ambos: «Mi hija sí ha sido secuestrada. Ayúdeme». Silbó.

—Hay algo «especial» en esta desaparición o secuestro, si hacemos caso a las palabras de la madre. Dionisio Santos ha acudido a la policía, pero eso es lo último que suelen hacer las familias amenazadas. —Aneth asintió con un gesto mientras conducía, animándole a continuar—. Eso significa que Santos sabe que su hija no sufrirá ningún daño y que está retenida como «garantía o prenda» para obligarlo a hacer algo.

—¿No pueden amenazarlo con hacer daño a Gabriela?

Matías negó con la cabeza.

—Si le pasa algo a la niña, que es su moneda de cambio,

el empresario puede tomar represalias. No les interesa. Por otra parte, está claro que Santos tampoco desea propaganda del suceso.

—Entonces, ¿cuál es el próximo paso?

—Sugiero que veamos qué información trae Cota, así completaremos la escena. A partir de ahí seguiremos trabajando.

Aneth afirmó con un gesto y guardó silencio el resto del trayecto. Observó de reojo a su compañero, que seguía consultando su celular y el cuaderno de notas. No era solo que fuera atractivo —que lo era—, también estaba demostrando ser eficaz y conocer su trabajo. Era evidente por qué el comandante Sotomayor decidió traerlo a Sancaré. No pudo evitar sentir un punto de remordimiento hacia Goya, al que en los últimos tiempos había comenzado a tutear a petición del experto policía, y que tampoco le permitió seguir llamándole «jefe», como hacían los demás.

Se dio cuenta de que, por primera vez desde que Goya se internó en la clínica, había pasado más de tres horas sin pensar en él.

En la estación de Policía, el criminalista Hilario Cota los esperaba comiendo un perrito caliente en una de las salas de reuniones.

—Es que llevo un día… —se disculpó dando un bocado voraz.

Aneth recordó que ella tampoco había tomado nada sólido desde mediodía —los refrescos en casa de los Santos no contaban—, y ya eran casi las nueve de la noche. Vélez fue a la máquina de bebidas y trajo dos latas.

Hilario Cota comenzó a ponerlos al día de su parte. Había tenido suerte. La amiga de Gabriela, Denisse, era del género curioso y se quedó rezagada espiando para ver qué sucedía. No lo hizo por preocupación, sino porque le había llamado la atención que *Gaby* se hubiera detenido a hablar con una desconocida. Estudió tan bien a esta que incluso pudo confeccionar un retrato hablado.

Cota abrió la carpeta que dejó sobre la mesa y mostró a una rubia de pelo largo rizado, con las facciones muy angulosas.

—Lo han repartido ya por las comisarías de los distritos —les dijo a Vélez y Castillo. Una gota de mostaza se escurrió del perrito caliente y fue a caer sobre una esquina del papel. Matías la limpió con disgusto, ayudado por una servilleta. Cota prosiguió hablando, con la boca llena—: Esperamos saber algo en un par de horas.

Aneth se quedó pensativa.

—Una mujer rubia… Esa es una coloración muy poco común, lo más probable es que usara una peluca. Va a ser difícil encontrarla de ese modo.

Hilario asintió.

—Hay más. Denisse dijo que la mujer era delgada, pero de un modo «raro». Por el modo en que la describió diría que es una especie de culturista. Eso sí puede ser una pista. Estamos investigando también en los gimnasios de la ciudad y en las tiendas de aparatos de musculación.

Matías habló, aunque en lugar de mirar a Cota al rostro se quedó observando cómo se chupaba los restos de kétchup de los dedos.

—Sabes que es como buscar una aguja en un pajar, ¿verdad?

—Sí, inspector Vélez. —Hilario dio un último lametón al pulgar—. Pero para eso estamos.

Se levantaron los tres y Cota se despidió.

—Me voy a otro caso. El comandante me pidió que los pusiera al día, pero creo que ahora él está libre y querrá saber qué tal les ha ido con el empresario.

Extendió la mano, pero la retiró enseguida al comprobar que estaba sucia por la comida.

—Si me disculpan…

Matías resopló cuando Hilario Cota abandonó la sala de reuniones, y al cruzarse las miradas con Aneth, ambos inspectores se echaron a reír.

7

EL COMANDANTE CARLOS SOTOMAYOR no tenía buen aspecto. Se le habían formado bolsas bajo los ojos y tenía estos un tanto velados, fruto del cansancio.

—Los políticos son la verdadera escoria de esta ciudad —dijo, sin mediar saludo, cuando ambos inspectores entraron en su despacho—. Llevo horas al teléfono. Acabo de colgar, por cierto, a nuestro hombre del día, Dionisio Santos. Conozco su versión, ahora quiero que me cuenten la de ustedes.

Matías tomó asiento, sin mostrar nerviosismo. Aneth le envidió en aquel momento. Cuando Sotomayor estaba de aquel talante, pocos le resistían el humor. Ella también se sentó, sacó su agenda y esperó a que Vélez tomara la palabra.

—Pese a lo que diga, es bastante evidente que al señor Santos lo están extorsionando —declaró Matías.

—¿Está de acuerdo, inspectora?

Aneth afirmó con la cabeza y dijo:

—Su mujer nos lo ha confirmado extraoficialmente. No sabemos si tiene algún tipo de pruebas y si su marido la vigila, pero sería interesante poder hablar con ella.

El comandante se acarició el mentón.

—Inspector Vélez, ¿qué motivos tendría el empresario para negar la idea del secuestro?

—Muchos y no buenos, me temo. Pero eso complica el tema porque o bien Dionisio Santos sospecha de alguien o tiene ya la certeza.

—Es increíble, su propia hija…

El comandante Sotomayor meneó la cabeza y luego fijó la vista en Matías.

—Está haciendo un buen trabajo, inspector Vélez. Quiero que usted personalmente le siga la pista al empresario hasta que descubra quién puede estar detrás. Ya pueden irse.

Aneth experimentó la sensación de ser apartada y no le gustó. Aquel «usted personalmente» indicaba de modo evidente que su jefe la relegaba. Tenía que aclarar de una vez cualquier malentendido con el comandante.

Cuando ambos inspectores se levantaban del asiento, el celular de Sotomayor comenzó a sonar con una melodía muy conocida. Era la banda sonora de la película *Tiburón*.

—Es el tono del número de urgencias… —se excusó este.

Luego pulsó para responder la llamada, al tiempo que hacía un gesto a los inspectores para que no se fueran todavía.

—¿Los bomberos ya están de camino? Bien, bien.

Aneth y Matías intercambiaron miradas preocupadas. Sotomayor comenzó a recorrer el despacho a grandes pasos.

—¿Cómo? Entiendo, cuenten con nosotros.

Colgó y arrojó el celular sobre la mesa. Luego se restregó los ojos, haciendo más profundas las bolsas.

—¿Sucede algo, señor? —Aneth no pudo contenerse al ver que pasaban los segundos y su jefe no hablaba.

Él miró a los dos inspectores.

—Sí, claro que ha sucedido algo. ¡Menudo día! Se ha declarado un incendio en el barrio de La Favorita. Me han comunicado que han avisado a los bomberos, pero hay atasco en la ciudad… ¡para variar! No van a poder llegar a tiempo de evitar un gran desastre. Ya saben ustedes que las casas allí son casuchas de madera en su mayoría.

Matías intervino:

—¿Podemos hacer algo?

Él los miró como debió mirar el pueblo de Israel a David cuando el chico se ofreció para pelear frente a Goliat.

—Mejor encárguese de lo que le he dicho, Vélez. Voy a hacer un llamamiento a las unidades policiales más cercanas para que avisen al vecindario y hagan una cadena de solidaridad para sofocar el incendio. Supongo que eso *sí* será efectivo. Tenemos que ayudarlos a como dé lugar.

Matías abandonó el despacho y Aneth se quedó rezagada a propósito. De pie frente a la mesa de Sotomayor, escuchó cómo este hablaba por el intercomunicador, pidiendo a su secretaria que ejecutara la orden que antes les había expuesto a Vélez y Castillo.

—Inspectora, ¿desea algo?

—En realidad, sí, señor. Quisiera hablar con usted.

—Pues usted dirá. —Sotomayor no alzó la vista de los papeles, pero Aneth se obligó a hablar—. Antes le ha encomendado al inspector Vélez que se ocupe de seguir a Dionisio Santos, pero no ha expresado nada concreto con respecto a mí.

El comandante alzó la vista y la observó un momento.

—Inspectora Castillo, Aneth, estamos en una situación de alerta en la ciudad y no estoy para chiquilladas. El inspector Vélez y usted son ahora un equipo. Por tanto, lo que le encargo a uno es también tarea del otro. Quiero que ambos se ocupen del caso Santos y no cesen hasta encontrar a esa niña, que Dios sabe lo que estará pasando durante su secuestro.

La joven aguantó la reprimenda con estoicismo.

—Sí, señor. Disculpe.

—Otra cosa antes de que se vaya. —Sotomayor tomó una carpeta y consultó un nombre—. Mañana se incorpora otro compañero a la oficina.

Aneth se mantuvo en silencio, esperando la continuación.

—Oliver Márquez ha tenido que irse precipitadamente por un asunto personal. Me ha dicho que no sabe cuánto tiempo le llevará. —Sotomayor hizo una mueca de disgusto—. No podemos estar sin médico forense indefinidamente, así que nos envían un sustituto de otro distrito. Su nombre es Felipe Mejía.

—Muy bien, señor.

Aneth permaneció de pie frente a él y Sotomayor malinterpretó su gesto.

—Puede retirarse.

—Antes de irme, creo que le debo una disculpa. Desde hace tiempo, además.

El comandante se llevó las manos a la cabeza teatralmente.

—Si eso la hace sentirse mejor y ponerse a trabajar enseguida…

—Sí, me haría sentirme mejor.

Aneth extendió una mano y la colocó sobre la de su jefe. Luego tendría tiempo de pensar en su «osadía».

—Cuando llegué a Sancaré, no conocía a nadie. Era una «chica de pueblo», apenas con cuatro cosas que cabían en un morral. Usted me buscó un lugar de su entera confianza para que al inicio no tuviera que perderme en el laberinto de esta ciudad. Sé que esa pensión es el negocio de su suegra…

Sotomayor frunció el ceño.

—Castillo, lo que haga con su vida privada…

—Precisamente de eso quería hablarle, señor. Allí no tenía privacidad y eso fue lo que me decidió, andando el tiempo, a buscar otro sitio. Sé que la señora Regina se disgustó y no sé qué le habrá contado a usted, pero no he querido perjudicar a nadie. Si no ha conseguido a otra huésped no es culpa mía, pero yo no me podía quedar.

El comandante se incorporó de su asiento y Aneth lo imitó.

—Inspectora, no había necesidad de disculparse, pero si la ha hecho sentirse mejor, ya está hablado y archivado. Y ahora, por favor, continúe con el caso.

—Sí, señor.

Sotomayor volvió a sentarse y la joven se sintió más aliviada. ¿Sería efecto del embarazo, que la hacía estar más sensible?

Fuera del despacho lo estaba esperando Matías, que se inclinó para hablarle al oído.

—Por fin. Vamos a cenar a un sitio que conozco. Esos perritos calientes me provocan arcadas.

Aneth sonrió mientras lo seguía. Pero su cabeza viajó a otra parte. Un detalle importante de la conversación que acababa de tener con el comandante. ¿No dijo acaso que Oliver Márquez tuvo que irse de modo precipitado? ¿Y que aquello era extraño en él? Bueno, eso último no lo había mencionado, pero el modo en que se expresó daba a entender que Sotomayor no había tenido que lidiar con muchas ausencias de su médico forense. Recordó el mensaje recibido aquella tarde en su teléfono celular: «No desaparezco por gusto». ¿Sería de Márquez?

Deseaba comprobarlo, una simple llamada bastaría, pero Matías estaba a su lado y ella quería un momento a solas para disipar sus dudas.

8

La nube de humo negro se iba percibiendo de mayor tamaño conforme Jerónimo se acercaba con su furgoneta a los límites de La Favorita. Las primeras casas que divisó ya estaban calcinadas, aunque aún se percibía el brillo rojizo de los rescoldos en la madera de las barracas.

Dio un salto para apearse y abrió las puertas traseras del vehículo. Además de los cilindros, el hombre de la bata también había previsto que Jerónimo se hiciera oír y le dejó un megáfono blanco que él se apresuró a llevar a la boca. Comenzó a gritar para atraer a los curiosos hacia él.

—¡No miren! ¡Ayuden a apagar el fuego!

Cuando consiguió reunir un grupo en torno a la furgoneta, Jerónimo volvió a animar a través del megáfono, mostrando uno de los cilindros amarillos.

—¡Esto son extintores! ¡Es fácil usarlos!

Soltó el megáfono y procedió a hacer una demostración. Le quitó la anilla de seguridad a uno de los cilindros y sujetó la manguera del extintor con fuerza apuntando al suelo, al tiempo que accionaba la palanca. Un polvo seco de color blanco salió a propulsión.

—¡Vamos! —Jerónimo retomó el megáfono—. ¡A dos metros de distancia como mínimo!

Las llamas avanzaban en la lejanía. Varios hombres se abalanzaron sobre los extintores y se los llevaron, internándose luego en La Favorita. Jerónimo se quedó con el que había usado para la demostración. Cerró las puertas de la furgoneta y siguió a los otros.

«Maldito *chapetón*. ¿Qué habrá tramado? No puedo dejar a mis compadres así».

En algunos lugares, donde utilizaban plásticos, las llamas alcanzaban varios metros de altura. Los rostros de impotencia y dolor de los *favoritos* al ver desaparecer sus míseras viviendas conmovían a Jerónimo. Al menos, los extintores estaban cumpliendo su papel.

Durante la siguiente hora, el *noveno* y los *favoritos* lucharon contra un incendio que avanzaba más rápido que sus fuerzas gracias a lo reseco de la madera de la que estaban construidas las chozas y lo cerca que se situaban unas de otras. Jerónimo se encontró tiznado por completo, tosiendo por el humo y mareado. Le dolía la cabeza de modo terrible.

Llegó un momento en el que no pudo continuar. Sentía una náusea en la boca del esófago que no podía contener. Soltó el extintor, cayó de rodillas y el vómito llegó enseguida. En el instante en que comenzó, ya no podía detenerse. Comenzó a dolerle la garganta a causa de las arcadas, pero no podía dejar de devolver, hasta que solo expulsó agua y bilis.

Con ojos llorosos levantó la mirada y comprobó que no era el único. A su alrededor, otras personas tosían y vomitaban.

«Este humo es infernal. Tengo que salir de aquí como

sea». Jerónimo intentó ponerse en pie, pero le fallaron las rodillas.

—Ayuda…

Su voz era apenas un susurro. Supo que nadie podría hacer nada por él. Los que tenía más cerca estaban en una situación parecida.

Se dejó caer de espaldas y cerró los ojos. Respiraba con estertores.

El despacho era su refugio, su sanctasanctórum. Presidido por una excelente reproducción del *Retrato de Adele Bloch-Bauer I* de Klimt, la mujer dorada del cuadro resumía las ambiciones de Dionisio Santos tanto en la historia personal de la protagonista como en los materiales utilizados. Una rica heredera plasmada en un dibujo donde solo se mostraba nítido el rostro en un océano de oro.

El empresario hacía tamborilear los dedos sobre la mesa de nogal mientras hablaba por teléfono. El celular estaba apoyado sobre la superficie y él usaba un dispositivo de manos libres en el oído para evitar sostener el aparato.

—Saben que por la fuerza es imposible obtener nada de mí.

La voz de Dionisio Santos era segura y sonaba un tanto impaciente. Prosiguió:

—Les digo más. Si siguen reteniendo a mi hija, van a obtener precisamente lo contrario. Por mi parte, no habrá diálogo hasta que Gabriela regrese a casa. Y pobres de ustedes si ha sufrido algún daño.

Al otro lado de la puerta Salomé retuvo las lágrimas. Acababa de tener la confirmación, no solo del secuestro, sino de que su marido conocía la identidad de quienes tenían a Gabriela. Con cuidado se alejó unos pasos y se dirigió al dormitorio matrimonial. En el cajón de la mesita de noche había guardado las tarjetas de visita de ambos inspectores de Policía. Eligió la de Aneth y tomó su celular para marcar.

9

—¿Adónde me llevas a cenar? ¿Cómo es posible que ya conozcas sitios en Sancaré? ¡Si acabas de llegar!

La andanada de preguntas comenzó después de que Aneth y Matías llevaran varios minutos recorriendo las calles de El Empedrado, uno de los barrios populares. Estaban cerca de los muelles y les llegaba un intenso olor a salitre mezclado con las voces de los estibadores. Los dos inspectores llevaban un paso relajado. Vélez había introducido las manos en los bolsillos del pantalón vaquero. Cada tanto miraba hacia arriba y cerraba los ojos, aspirando con profundidad.

Aneth le estuvo explicando lo que sabía de aquella zona. El nombre de El Empedrado, le contó, procedía de un curioso trazado en el suelo, como un mosaico de piedras colocadas de canto, situado en medio de la calzada. Ahora ya no se pisaba directamente sobre él, sino sobre el vidrio protector que colocaron en el tramo de la vía peatonal donde estaba localizado.

También le hizo notar que, según se decía, en tiempos posteriores a la venida de los españoles, en ese lugar hubo una casa magnífica. El dueño trazó aquel suelo para el patio interior, a imitación de los que se estilaban en la España de entonces. Fuera cual fuese el origen, y si alguna vez existió tal residencia, lo único que había prevalecido con el paso del tiempo fueron aquellas piedras, bien alineadas, que el alcalde decidió salvaguardar.

Después de las explicaciones, al observar que Matías seguía vagabundeando por las calles, Aneth le interpeló sobre dónde la llevaba y cómo era posible que ya conociera lugares para tomar algo. Vélez sonrió.

—En realidad, ha sido una recomendación de la patrona de la pensión donde estoy. Llegué anoche, así que no me ha dado tiempo a alternar mucho. —Se detuvo frente a un local con más aspecto de *pub* nocturno que de restaurante—. Me parece que es aquí.

Castillo observó el lugar con desconfianza y estuvo a punto de negarse a entrar. Dudaba que allí les sirvieran otra cosa que no fuera alcohol, pero Matías ya había subido los tres escalones de entrada y no tuvo más remedio que seguirlo.

El interior le sorprendió gratamente. Además de la barra del bar, había una zona superior aislada, con mesas, a la que se llegaba por unas escaleras de madera oscura. Sonaba *With or Without You* de U2. Dos parejas tomaban unas copas, pero no había nadie arriba. Vélez le hizo un gesto y ambos subieron.

Estudiaron la carta, cuya oferta no era diferente a la de un *fast food*: sándwiches, hamburguesas, fajitas, patatas fritas con todo tipo de salsas. Se decantaron por unos bocadillos y pidieron refrescos para acompañar.

—Puedes tomar una cerveza si quieres —dijo Matías—. Yo diría que casi estamos fuera de servicio.

Aneth se ruborizó —y se maldijo por ello— al tiempo que negaba con la cabeza.

—Mejor no.

Vélez le sonrió y se irguió en el asiento. Al hacerlo, las rodillas de ambos se tocaron. Aneth se retiró por instinto. Aunque escogieron una mesa redonda de tres sillas, era demasiado pequeña para evitar que sus piernas tropezasen.

—Cuánta prudencia con el alcohol —insistió Matías—. Ni que estuvieras embarazada.

Ella le devolvió la mirada directamente a los ojos. Cuánto le gustaba esa tonalidad verde y el brillo chispeante que mostraban ahora, como si no existieran problemas de los que preocuparse.

—¿Y si te dijera que así es?

Matías alzó una ceja y luego extendió una mano hacia ella. Aneth alargó la suya y él se la tomó para apretarla con calidez. Habló con voz pausada.

—¿Crees que me voy a escandalizar? ¿O que voy a llevarme las manos a la cabeza? —Hizo una breve pausa—. Intuyo además, por la forma en que lo has dicho, que no deben de saberlo muchas personas. Si hablar de ello te desahoga, aquí me tienes.

Le soltó la mano y extendió las suyas sobre la mesa mostrando las palmas hacia arriba.

Castillo soltó una carcajada.

—No me puedo creer que esté sucediendo esto. De verdad que no.

—Bueno. —Matías se encogió de hombros—. A veces hablar con un desconocido alivia bastante. Y si ese alguien no está implicado emocionalmente, hasta puede ayudarte, formulando preguntas que te sirvan para enfocar el tema. Eso te podría ser útil para ver la situación con perspectiva.

»Por ponerte un ejemplo, si me dieras permiso, mi pregunta sería: ¿sabe el padre de la criatura que va a ser padre?

—Se llama Vicente y no, no lo sabe.

—Interesante. —Vélez levantó su refrescó y tomó un sorbo largo.

—Hemos roto hace unos días.

—Ajá.

—¿Qué quieres decir con «ajá»?

Matías rio.

—Nada en absoluto. Recopilo datos. Estás embarazada de un hombre que parece que ya no te interesa. Mi siguiente pregunta sería: ¿quieres al niño?

Aneth miró a un punto alejado de ellos.

—He querido a este niño tanto tiempo que mentiría si te dijera que no. Pero dime algo, Matías. —Y lo miró de frente —. En mi situación, ¿lo querrías tú?

Su compañero la sorprendió con su respuesta.

—Definitivamente, sí. Siempre he querido ser padre, pero nunca he encontrado a la mujer adecuada. Yo no renunciaría a él.

Aneth no pudo resistirlo. Había intentado evitar pensar en Vicente y en el bebé desde su regreso de Aborín, pero el estrés y la cercanía de aquel hombre tan atractivo la hacían sentir más sensible de lo que deseaba. Sintió correr las lágrimas con libertad por las mejillas y buscó un pañuelo de papel con rabia, a tientas, en el bolso que colgó de la silla.

—No tienes nada de qué avergonzarte…

Oyó la voz de Matías muy cerca, era un susurro en su oído, acariciándole el lóbulo. Le estaba tendiendo un pañuelo y ella se apresuró a secarse. Pero cuando lo consiguió, él seguía a su lado, exhalando su aliento en la oreja de Aneth. Se estremeció. Cuando giró la cabeza le descubrió mirándola con intensidad, y cerró los ojos. El beso llegó, dulce pero firme, invadiendo el interior de su boca y desatando un sinfín de sensaciones encontradas.

Podría haber durado centurias, pero el celular de Aneth

sonó. Se separaron con rapidez, como dos adolescentes descubiertos en falta. Ella buscó en el bolso con prisa y descolgó sin mirar quién era. Escuchó la voz de Goya al otro lado de la línea.

—Castillo, estoy escuchando la radio y han hablado de un incendio en La Favorita. ¿Qué puedes decirme?

Tardó unos segundos en responder. Tenía que relajar la respiración, templar la voz.

—No me digas que te dejan escuchar la radio durante el aislamiento. —Aneth intentó sonar jocosa, pero aún le temblaban las manos. Le fastidió comprobarlo y apoyó el codo sobre la mesa, en un intento de evitar que Matías se diese cuenta.

Observó a este de reojo. Se había puesto a mordisquear unas patatas fritas, como si no hubiera sucedido nada unos segundos antes.

—Ya no estoy en aislamiento, mocosa.

—Y yo estoy fuera de la estación. —De repente tenía muchos deseos de terminar aquella conversación—. Han enviado a los bomberos y refuerzos de policía para controlarlo. No sé nada más. Te dejo, Goya. Cuídate.

Guillermo Goya, al otro lado, intuyó que Aneth no estaba sola. La manera de despedirse tan brusca de la inspectora no encajaba con lo poco que había conocido de ella.

Hizo cábalas sobre la identidad del acompañante. Tardó poco en sumar los factores. Pero su sagacidad le dejó un regusto de amargura. Una vez más, se dijo, hay veces que es mejor —mucho mejor— no saber.

10

Sesenta segundos. Puede que noventa. Es lo que Aneth había necesitado para volver a la realidad de su presente. ¿Qué estaba haciendo? Acababa de conocer a Matías, llevaba en su seno al hijo de otro hombre, su comportamiento era irracional. A ella le gustaba tener su vida personal controlada, no podía seguir así, como si navegase en una barca que hacía agua y sin saber por dónde empezar a achicar.

—Tengo que pedirte disculpas.

Oyó la voz de Vélez cuando volvió a apoyar el bolso en la silla, después de guardar el celular. Al girar la cabeza en su dirección ya no había rastro de debilidad en Aneth. Tenía los ojos secos, la mirada orgullosa y el porte altivo. Se irguió en el asiento y luego hizo un breve gesto de encogimiento de hombros.

—Vamos a olvidarlo. Estas cosas ocurren, pero preferiría que no hubiera una segunda vez.

Matías hizo una ambigua inclinación de cabeza y siguió masticando su bocadillo en silencio. Ella lo imitó. En el local se oía la voz de terciopelo de Norah Jones cantando *Cold Heart*.

Aneth no pudo evitar un suspiro. Dejó de comer y llamó la atención de Vélez con un codazo amistoso.

—¿Tú no ibas a darme un consejo?

Los ojos de Matías se iluminaron. Cabeceó en señal de asentimiento.

—¿Me harás caso?

—Es un consejo, ¿verdad? No una orden. De todas formas, lo tendré en cuenta.

Él rio. Aneth descubrió que le gustaba su risa. Eran carcajadas graves, como su voz, espontáneas, y con cierto toque irónico.

—Está bien, inspectora. He aquí mi opinión. Ese niño no es solo tuyo, Vicente debe saber cuanto antes que existe.

—Ya. —Aneth se mordió el labio inferior.

—Imagino que si fuera fácil ya se lo hubieras dicho, ¿verdad?

Ella asintió.

—¿Temes que quiera volver contigo a causa del niño?

—Puede ser.

—¿O que te pida que no lo tengas?

—Esa es otra posibilidad.

—Aneth, mírame.

Ella no se dio cuenta de que había bajado la vista mientras hablaba hasta que Vélez se lo reclamó. Lo cierto es que le costaba mirarlo. Superponía las imágenes de Vicente y Matías, y el primero no salía bien parado en la comparación.

—¿Qué sucede? —dijo Aneth.

—Tienes que actuar. Ese inmovilismo te está haciendo daño. Lo veo.

—Así que además de inspector eres psicólogo. Qué completo. —Se pasó una mano por el rostro. El día estaba resultando agotador y le estaban fallando las fuerzas.

—En absoluto —se defendió Vélez—. Pero eres policía.

49

—Inspectora. —Ella le corrigió con rapidez.

—Inspectora —repitió Matías con tono irónico—. Joven. Con ganas de promocionar. Al aplazar esta decisión vas en contra de tu forma de ser.

Aneth asintió sin palabras.

—¿Te arriesgas? —El tono en el que Vélez formuló la pregunta no era de los que se pasa por alto. Todas las células de la policía la empujaban a decir «Sí, ¡cómo lo dudas!». La mujer, sin embargo, se mostraba más precavida.

—No tienes por qué llamarle. Escríbele un correo electrónico —sugirió Matías.

Dudó. Siempre consideró que aquella «noticia» debía ser dada en persona, como mucho, por teléfono. Parapetarse detrás de una carta no le parecía una solución.

Vélez parecía estar leyendo sus pensamientos, porque añadió:

—Créeme, él te lo agradecerá. Si le lanzas la noticia de repente puede que no te guste su reacción. Pero si se lo comunicas por escrito le darás tiempo para reflexionar. Y cuando te responda ya habrá asimilado el «asunto».

Aneth lo miró fijamente. En el fondo, tenía bastante sentido. Un discurso por teléfono podía acabar con las dos partes enzarzadas, con malentendidos y excusas dolorosas. En cambio, «la letra escrita, escrita está», o así traducía ella libremente aquel famoso *Quod scripsi, scripsi.*

—Me parece que sí voy a seguir tu consejo. —Sonrió—. ¿Cuánta experiencia tienes redactando *e-mails* de embarazos inesperados?

—Hay una primera vez para todo.

Durante los siguientes veinte minutos utilizaron el celular de ella para ir escribiendo el cuerpo del correo. Lo que podría haber sido un momento dramático se convirtió en un ir y venir de bromas y pullas sobre si utilizar una u otra expresión.

«Tienes que decir "vamos a tener un hijo", no escribas "voy a tener un hijo", como si no fuera con él», le argumentaba Matías. También intercambiaron sus opiniones sobre la diferente visión de hombres y mujeres respecto a los niños. «Para bien o para mal, el susto del primer momento no se lo quitas. Si se lo dijeras a bocajarro, y dada su situación, probablemente te presionaría para que no siguieras adelante. Por eso, si le dejas tiempo, unas semanas, cuando ya sea "irremediable", todo irá bien. Él ya pensará de modo práctico en cómo afrontar la nueva situación en vez de cómo barrerla del panorama de su vida».

Cuando lo consideraron finalizado, Aneth le había dejado dos cosas claras a su antigua pareja: que no deseaba regresar con él —por lo tanto, el hijo no debía ser considerado un motivo para la reconciliación—, pero que sí quería tener el bebé, y que él no debía preocuparse porque ella contaba con ocuparse sola del niño.

—Ahora dale a enviar y cruza los dedos.

La inspectora estaba a punto de mandar el correo electrónico cuando entró una llamada. Era un número desconocido. En un gesto instintivo más que pensado, colgó con disgusto.

Por un instante sintió un miedo cerval a perder el texto que Matías y ella estuvieron preparando con tanto esfuerzo. Pulsó por fin la tecla «Enviar», verificó en la bandeja de «Elementos enviados» que allí estaba el mensaje, y solo entonces se permitió volver a respirar con normalidad.

Levantó los ojos hacia Matías y le sonrió.

Volvió a bajar la mirada al oír un pitido que anunciaba un mensaje en el buzón de voz. La persona que llamó parecía haberle grabado algo en el contestador.

—¿Sabes quién es? —Vélez la observaba.

—No, pero vamos a escuchar qué nos ha dejado.

Puso el altavoz y reprodujo el mensaje para ambos.

Se oyó la voz de Salomé Santos teñida de angustia.

«Inspectora Castillo, tengo pistas sobre el secuestrador. Pero no debe venir a mi casa. Es mejor en la comisaría. Por favor, escríbame a este celular con una hora para vernos mañana. No me llame, solo escriba un mensaje. Allí nos veremos».

—Está claro que las mujeres empatizan con las mujeres —dijo Matías.

—Quizá mi tarjeta es la primera que encontró. Yo te hubiera llamado a ti. —Y le guiñó el ojo—. Lo importante es que avanzaremos en el caso. La citaré a las diez para que le dé tiempo a llegar.

Vélez asintió.

—Voy a ir pagando.

Mientras Matías bajaba las escaleras, Aneth escribió el mensaje a Salomé. Recibió inmediatamente un «OK» como confirmación.

Guardó de nuevo el celular en el bolso y se levantó de la silla. Hizo un gesto inconsciente de acariciarse el vientre.

—¿Qué será de nosotros? —murmuró en voz baja.

Acababa de lanzar la pelota al tejado vecino, solo quedaba esperar la respuesta de Vicente, que podía tardar semanas, según Matías. Meneó la cabeza y se encaminó a las escaleras.

Vélez, en la barra del bar, esperaba el cambio del billete con el que pagó y aprovechaba para escribir en su celular. Pulsó «Enviar» y se quedó pensativo un instante antes de volver a guardarlo en el bolsillo de su pantalón.

11

En el exterior todo era oscuridad, Valentina únicamente podía apreciar el halo que proyectaban las farolas de la calle. Giró la varilla de la veneciana situada sobre el fregadero para cerrarla del todo y siguió enjuagando los tazones. Eran de cerámica azul y blanca, cerca de una docena. Los fue apilando con cuidado a su derecha y luego los secó despacio, en una especie de ritual.

Aquella noche se había preparado un pequeño festín de comida china, una de sus preferidas. Sopa de *wonton*, fideos fritos con gambas, *chop suey y jiaozi* con salsa de soja. Mientras iba controlando los tiempos de cocción, la cantidad de aceite para freír y la temperatura, se acordó del hombre que, años atrás, la introdujo en el mundo de lo oriental. Pablo era tan exigente en la cocina como en el gimnasio donde ejercía de monitor de *Body Combat*. A Valentina le gustaba esa combinación de boxeo, karate y boxeo tailandés, ya que había practicado las tres disciplinas. Pero, más aún, le gustaba Pablo. No tardaron en convertirse en amantes. Él pasó varios años en

China y le enseñó la paciencia de la cocina asiática. Fue el único hombre al que lamentó dejar, cuando su encargo terminó y tuvo que irse de aquella ciudad, junto con su falso nombre y su historia inventada. Eso sucedió cuatro años antes, y aún se preguntaba qué habría pensado él cuando entró al piso que compartían y, viendo que ella no llegaba, revisó luego los cajones vacíos, el armario con su mitad despejada, el cuarto de baño sin el cepillo de dientes. Y, más tarde, después de levantar el cobertor descubriese sobre la almohada aquella nota escrita a máquina: «No pudo ser».

De aquel amorío solo se llevó de recuerdo los tazones de cerámica azul y el capricho de festejarse a sí misma, en solitario, con el ritual de un almuerzo o una cena orientales. Era laboriosa de cocinar pero, en estos momentos, gracias a su encargo actual de «niñera», tiempo era precisamente lo que tenía.

Sabía que debería estar agradecida por cobrar un sueldo generoso haciendo un trabajo tan fácil, aunque a ella le supusiera un gran esfuerzo permanecer inactiva.

Eso le recordó que no había vuelto a oír a Gabriela en toda la tarde. «Chica lista, ha aprendido la lección», pensó Valentina.

Secó con mucho cuidado la vajilla china y la colocó en el aparador. El tipo de vida que eligió la «condenaba» a alquilar —el apartamento, el coche— y a comprar objetos que luego debía abandonar —las máquinas de musculación, la ropa—. Salvo cuatro prendas básicas, siempre partía de cero en cada nueva identidad que se forjaba. Pero la vajilla era una excepción. Se la había regalado Pablo y pretendía que siguiera viajando con ella. Se excusaba pensando que cocinar la relajaba y abría su mente mientras esta se estaba ocupando en tareas físicas.

Después de poner todo el menaje en su lugar buscó una sartén y abrió la refrigeradora para tomar unos huevos. Con parsimonia comenzó a hacer una tortilla francesa de dos huevos, a la que agregó trozos de jamón de York. «Está en edad de crecer, tiene que alimentarse», se dijo. Abrió media barra de pan e introdujo la tortilla en su interior.

Preparó la mesa con un mantel individual y un plato donde dejó el bocadillo con la tortilla recién hecha. Sacó de la nevera un botellín de agua. Luego lo pensó mejor y tomó otro más.

Una vez que hubo hecho todos los preparativos regresó a la sala que había habilitado como gimnasio, la única con acceso al sótano. Buscó el equipo de sonido y le dio al *Play*. Por los altavoces de la casa comenzó a sonar *Radioactive* de Imagine Dragons. Se sacó por la cabeza la llave que llevaba colgada al cuello y abrió la puerta pequeña. Por un instante la desconcertó la oscuridad. Encendió el interruptor y fue descendiendo.

Gabriela seguía en la misma posición que recordaba, las piernas recogidas, abrazada a sí misma, pegada a la pared. Sabía que estaba despierta porque se oían sus hipidos intermitentes, que ella intentaba controlar manteniendo cerrada la boca. Sin embargo, cada acceso convulsionaba todo su cuerpo, como si fuera una marioneta manejada por un niño torpe.

—Tienes que controlar la respiración —dijo Valentina—. Así desaparecerá el hipo.

La niña la observó sin hacer comentarios. Parecía evidente que no se atrevía a hablar.

—Levántate —ordenó la mujer.

Gabriela lo hizo, muy despacio. Las largas horas en la misma posición la dejaron agarrotada y sentía cada movimiento como un esfuerzo titánico. Se apoyó con las dos manos en la pared mientras se iba incorporando. Primero de rodillas, luego haciendo fuerza con el talón. Finalmente consiguió quedarse de pie, con la espalda contra la pared como si esta la sujetase.

Valentina resopló, impaciente, y se acercó a ella.

—Voy a vendarte los ojos.

El terror se apoderó de la niña. La mujer lo vio en la expresión que se posesionó de su semblante, en el modo en que las manos intentaron aferrarse a la superficie lisa de la pared. El miedo le concedió incluso valor para hablar.

—Va a matarme, ¿verdad?

Valentina se rio. Le había hecho gracia la frase. «Estos adolescentes de ahora ven muchas películas», pensó.

—Es tu hora de cenar. ¿No tienes hambre? —Sabía que Gabriela le tenía pánico, así que intentó endulzar la voz todo lo posible—. Y también pasarás por el baño. Así que date la vuelta y déjame vendarte los ojos.

Aún suspicaz, Gabriela le obedeció. Después Valentina la condujo al inicio de los escalones y los fue subiendo de su mano, que iba delante guiándola.

Esta la condujo a un aseo, le quitó la venda y la dejó dentro. Ella se quedó en el exterior, vigilando.

—Te doy diez minutos para lavarte o lo que desees. Ni uno más.

Cuando terminó el plazo y abrió la puerta, Valentina observó que Gabriela había vuelto a colocarse la cinta en su sitio y su cabello crespo parecía más domado. Incluso olía a colonia. Sonrió. Le puso de nuevo la venda y la cacheó para asegurarse de que no había cogido ningún objeto del cuarto de baño. Luego volvió a tomarla de la mano y la condujo a la cocina, donde estaba preparado su bocadillo. La hizo sentarse a la mesa.

—No te voy a quitar la venda, pero comer no te resultará difícil. Tienes una botella de agua a la izquierda y puedes pedir más.

—Gracias —dijo Gabriela, tanteando el plato.

A Valentina le gustó la sonrisa que se le dibujó en la cara cuando olió la tortilla y su expresión cuando le dio el primer mordisco.

Luego recordó que aquello era un trabajo. Ella no era una niñera. No debía dejarse seducir por la inocencia de aquella criatura.

Se acercó a Gabriela por detrás y le dio un tirón del cabello. La niña gritó, asustada.

—¿Qué te he dicho sobre hablar? No quiero oír ni una palabra. No tienes por qué ser educada y darme las gracias. Solo eres una mercancía que debo guardar viva. Pero nadie me ha dicho en qué estado.

La niña asintió para dar a entender que comprendía. Valentina hizo un gesto afirmativo con la cabeza, aunque Gabriela no podía verla.

—Eso es. Buena chica.

Comenzó a fregar la sartén mientras la niña terminaba el bocadillo y se bebía los dos botellines de agua. Ella tarareó la canción que sonaba en ese instante: *So What* de P!nk, moviendo incluso los pies con la melodía.

—Hora de dormir, Gabriela.

La niña no protestó cuando Valentina la condujo de nuevo al sótano. Allí le quitó la venda.

—Te dejaré la luz encendida. Tampoco pretendo crearte traumas.

Cuando cerró la puerta arriba y volvió a colgarse la llave al cuello, se dirigió al equipo de sonido para apagarlo.

En ese momento oyó la alerta de un wasap en el celular.

«Menos mal que acabo de silenciar la música. A saber cuándo me hubiera dado cuenta», pensó Valentina.

Leyó el texto con cuidado. Frunció el ceño un instante, pero sus dedos no dudaron al teclear la respuesta: «Todo preparado».

ALEJANDRO CORREA no había nacido en La Favorita, sino en el cercano barrio de Los Monos. Su madre abandonó a su pareja, un *favorito*, estando embarazada. Regresó con sus padres y tanto ella como su familia creyeron que el asunto había quedado zanjado.

Pero un día, cuando el pequeño Alejandro tenía seis años, una figura se recortó en la entrada de la casucha donde vivía la madre con su hijo. Pertenecía a un hombre fornido, alto, de piel tostada. Llevaba una chaqueta de cuero desgastada y pantalones vaqueros. El niño se fijó especialmente en las botas de punta que asomaban por debajo del dobladillo.

Cuando el hombre entró en la casa echó una ojeada al interior en penumbra. Enseguida localizó a la madre de Alejandro en un rincón, que se había levantado muy despacio y escondido al niño detrás de ella.

—Tú y yo tenemos un asunto pendiente. —La voz del hombre sonaba agresiva y Alejandro sintió temblar a su madre.

—Solo es un crío.

—Con esa edad yo sabía defenderme solo. No quiero que lo conviertas en un inútil. Voy a llevármelo.

Dio dos pasos hacia la mujer, pero ella no retrocedió.

—Lo haré por las buenas o por las malas. No te obligué a regresar conmigo. Acepté que era mi culpa por enredarme con una *mona*. Pero el chico es mío. —El hombre se acercó hasta situarse delante de la madre y la observó con un gesto apreciativo—. No tienes por qué separarte de él. Puedes venir tú también si quieres. Fíjate si vengo con buenas intenciones… —Levantó una mano y le acarició el cabello—que sería capaz hasta de aceptarte de nuevo.

Alejandro no pudo resistir más la curiosidad y asomó por detrás de la falda.

—¡Pero qué tenemos aquí! El macaco tiene curiosidad. —El tono sonaba amistoso.

—¡No le llames así! —La madre intentó volver a esconderle, pero su hijo se resistió.

—¿Qué hay de malo, mujer? De los monos, es el que más me gusta. —Hizo un gesto alentándole a acercarse y la madre tuvo que dejarle ir. El niño se acercó al extraño.

—¿Cómo te llamas, macaco?

—Alejandro.

El hombre hizo un gesto de aprobación con la cabeza.

—Suena muy bien: Alejandro Correa. Ese es tu nombre completo.

—Lo sé —dijo el niño—. Mamá me lo dijo.

—Entonces, ¿sabes quién soy yo? —El hombre miró a la madre con curiosidad.

—Sí. Eres un fantasma.

Soltó una carcajada.

—¿Y eso?

—Porque mamá dijo que mi padre estaba muerto, y tú eres mi padre, ¿verdad?

Las miradas de los adultos volvieron a cruzarse. Ella se encogió de hombros como diciendo: «¿Qué pretendías que le contara?».

—Bueno, tu madre creía que yo estaba muerto. Pero ya ves que no. Y he regresado para llevarte conmigo, macaco. ¿Qué opinas?

El niño se giró hacia la madre.

—¿También viene?

—Que te responda ella.

La mujer contempló al hombre fornido y luego al niño. Luego cayó de rodillas y comenzó a llorar, abrazando al hijo.

Ese era el último recuerdo que guardaba Alejandro Correa de su progenitora. Un estrecho abrazo y la sensación de una mejilla mojada por las lágrimas.

«Perdóname, hijo mío, pero no puedo ir. No podría soportarlo. No otra vez. Perdóname, Alejandro», le susurró una y otra vez al oído hasta que el hombre fornido pareció enfadarse y separó a las dos figuras abrazadas.

En aquel momento Alejandro hubiera querido decirle a su padre que ya no deseaba irse con él, pero tenía miedo. Había empezado a comprender a su madre.

El regreso de Néstor Correa con su hijo corrió como la pólvora por el barrio. Solo sus hombres de confianza sabían de la existencia de este, el embarazo de la mujer no era evidente cuando la abandonó. Ahora él se mostraba ufano y presumía de su descendencia. Nadie osó hacer comentarios burlones. Néstor Correa era el jefe de una de las pandillas más violentas de La Favorita y no deseaban entrar en conflictos.

La hermana de Néstor se ofreció a criar a Alejandro. Fue la mejor decisión porque el pandillero cambiaba con frecuencia de compañera. Tenía un carácter agresivo y no ponía reparos en señalar con puñetazos y bofetadas lo que no le complacía. No solo maltrataba a sus mujeres. El niño pronto tuvo ocasión de experimentar las palizas de su padre, aunque nunca llegara a ensañarse con él.

—Tienes que hacerte fuerte, macaco —le decía—. A tu edad yo tenía más cicatrices que huesos en el cuerpo.

Pero el chico poseía más cerebro que deseos de golpear. Aprendió a esquivar las golpizas de su padre y un día incluso se atrevió a interponerse entre una de las mujeres y la mano levantada contra ella.

—No todo es violencia, padre.

—¡No has entendido nada! He llegado tarde para deshacer los mimos de tu madre. —Se mesó el cabello, momento que la mujer aprovechó para huir—. Con esos buenos sentimientos no podrás sobrevivir en La Favorita.

—Sí, lo conseguiré.

Néstor se acercó a Alejandro y lo miró de frente. A los ojos del líder violento, su hijo, aquel macaco, era un adolescente que ya parecía un hombre. Alto, con los músculos marcados, el pelo oscuro recogido en una coleta y cicatrices en el labio de todas las veces que él, su propio padre, le partió la boca.

—Tienes que irte de esta casa —le dijo Néstor—. Me has desafiado delante de esa mujer y no tardará en saberse por ahí. No quiero matarte, pero si te vuelvo a ver, lo haré.

Alejandro supuso que perdonarle la vida en ese instante era el único modo que su padre había encontrado para demostrarle cuánto le importaba.

Recogió sus cosas y, con tan solo dieciséis años, fundó su propia pandilla, Los Macacos. El Correa joven tuvo claro desde el inicio que no se mezclaría en delitos de sangre, así que se dedicaron al hurto. Cuando su pericia como ladrones creció, elevaron la categoría al robo y se hicieron con una flota de motocicletas que les permitió incursionar hasta el mismo corazón de Sancaré.

Alejandro podía decir que nunca le había disparado a

alguien, pero no aseguraba lo mismo de otros miembros de su pandilla. Era difícil evitar algo que les había inoculado el ambiente de La Favorita. A él lo respetaban porque sus atracos, bien pensados y ejecutados, eran un éxito. No había bajas que lamentar y los beneficios se repartían con equidad. De hecho, otros *favoritos* pandilleros, en su mayoría antiguos integrantes de la banda de Néstor, deseaban entrar en Los Macacos. Alejandro nunca admitió a estos últimos. Quería evitar cualquier motivo para tener una reyerta con la pandilla de su padre, a cambio, la banda de Néstor Correa tampoco incursionaba en el territorio de Los Macacos. Aquel pacto tácito se mantuvo mientras vivió el violento líder, y también después.

La noticia del fallecimiento se la comunicaron a Alejandro una mañana. El mensajero, de la banda de Néstor, llevaba un pañuelo blanco atado al manillar izquierdo de su motocicleta. Alejandro y él buscaron un lugar apartado para parlamentar. Eligieron la cima del cerro, desde donde podía divisarse el océano, y aparcaron sus motocicletas. El lugarteniente del entonces jovencísimo líder los observaba de cerca, vigilante. El cielo descargaba lluvias tropicales, como si supiera las pocas lágrimas que se iban a derramar con aquella muerte.

—Acribillado a balazos por un poli traidor. Nos vengaremos, Macaco.

A Correa le hubiera gustado decirle que más sangre no iba a restaurar el equilibrio, pero se contuvo. En cambio, intentó invocar alguna imagen que le produjera un poco de afecto, respeto al menos. El hombre que le dio el mensaje aguardaba su respuesta.

—Díselo a su hermana, mi tía —dijo Alejandro finalmente—. Creo que rezaba por él.

El otro asintió. Le palmeó la espalda, no se molestó en darle el pésame y se fue con rapidez en su motocicleta.

Cuando se quedaron a solas Alejandro Correa y su lugar-teniente, el primero le comunicó la nueva al otro:

—Chedes, esta noche consigue bebidas para todos, que tenemos festejo: nos hemos librado de un cáncer. A Néstor Correa se lo han llevado al otro barrio.

Mientras el joven líder regresaba a la motocicleta recordó a su madre. ¿Debería avisarle? Lo descartó enseguida. Ella no lo buscó en todos esos años.

Se acordó de aquella respuesta infantil que él le dio a su padre el día que lo conoció. «Debes ser un fantasma, porque mi padre está muerto, y tú eres mi padre». Puede que a su madre le sucediera igual si ahora él, Alejandro, reapareciera. Tenía el íntimo convencimiento de que ella no podría haber sobrevivido al dolor de perder a su hijo sin el consuelo ficticio y, ¿por qué no?, balsámico de haberlo dado por perdido el día que traspasó el umbral de la casa.

Otro fantasma que sumar al de la historia del marido falle-cido. Y quizá fuese mejor así.

13

—TE LA ESTÁS JUGANDO, Macaco. ¿De verdad merece la pena?

—Eso no se pregunta, Chedes. Son de los nuestros. Si no quieres venir, dilo de una vez.

Los faros de la furgoneta iluminaban de forma fantasmal a los dos hombres. Alejandro Correa tenía un aspecto deplorable. Las ropas estaban quemadas y también parte del rostro. Chedes, su lugarteniente, no había salido mejor parado.

—Mira —dijo Correa, intentando emprender el camino cuanto antes—. Tú me sigues en la moto. Si la cosa se pone oscura dejo allí la «furgo» y me largo contigo.

—Siempre se acaba haciendo lo que tú dices.

—Por algo soy el líder.

—Esos tipos no lo merecen. La mayor parte son de Néstor…

—¡Ya basta de replicarme!

El hombre llamado Chedes pareció comprender que había sobrepasado el límite.

—Sí, Macaco.

—Y ahora ayúdame.

Alejandro sabía que para aquel tipo de tareas solo podía contar con su lugarteniente. Ninguno de sus pandilleros podría entender qué hacía arriesgando su vida para salvar la de los antiguos miembros de la banda de su padre. Pero él no hacía distinciones en ese momento. Eran *favoritos*, nada más importaba. Resultaron afectados por el incendio, se morían ahogados entre vómitos y toses. Si él podía prestarles el pequeño auxilio de transportarlos al hospital más cercano, lo haría.

Cuando terminaron de hacinar en la parte trasera de la furgoneta a la veintena de hombres, mujeres y niños enfermos, Correa se puso en marcha. Los llevaría al San Pedro Claver, en el barrio de Olivares. Además de ser el más cercano, tenía esperanzas de pasar desapercibido porque nunca estuvo allí.

El trayecto duró apenas veinte minutos, aunque sin tráfico lo hubieran podido hacer en cinco. Eso le dio tiempo a Alejandro para ir rumiando si debía seguir involucrándose en el incendio y hablar de lo que había visto.

Era información importante, y no se le debía confiar a cualquiera. Pero ¿a quién se lo podía contar? No había muchos policías a los que encargar un asunto tan delicado. Muchas veces tenían más antecedentes que los presos que encarcelaban. Su propio padre murió traicionado por uno de aquellos agentes.

La idea le vino de forma repentina. América Herrera. Ella le había hablado de un caso en el que se vio envuelta, y la impresión tan favorable que le dejaron los inspectores que llevaron la investigación.

Lo cierto es que hacía tiempo que no sabía de la mucha-cha, pero esperaba que su llamada no le sorprendiera. Alejandro procuraba mantenerse alejado de ella, trataba de convencerse a sí mismo de que le haría más mal que bien a la joven si dejaba que los sentimientos se impusieran a la realidad de ambos. Su relación solo podía ser de amistad, se repetía una y otra vez. Ella era generosa, se había entregado a la causa de los huérfanos en Familia Casa Hogar, y no podía ni sospechar las miserias de la trayectoria vital de Alejandro. No debía arrastrarla a su infierno y no lo haría, se repetía. Es lo que había hecho Néstor con su madre, con el terrible resultado de una familia destrozada y un hijo arrebatado para criarlo en la violencia. Pero aunque sabía que debía apartarse de su camino, a veces le vencía la debilidad e iba a visitarla para llevarle algún huérfano de La Favorita que acoger en su entidad o preguntar por los *favoritos* que ya estaban allí. Cualquier excusa le bastaba con tal de verla.

Marcó su número aprovechando un semáforo en rojo y puso el altavoz.

—¿Diga?

—Meri, soy yo.

Solo él la llamaba por aquel diminutivo. Así se lo había comentado ella un día. Desde entonces, pronunciarlo ya le producía a Correa un cosquilleo en las venas.

—Alejandro, cuánto tiempo. —Pocas personas usaban el nombre de pila de Correa. Macaco era el apelativo oficial. Pero le fascinaba oírlo con el acento femenino de ella.

—Meri, perdona que vaya al grano, pero voy conduciendo y tengo poco tiempo.

—Claro, dime.

—¿Recuerdas el nombre de los agentes que llevaron el caso en el que tuviste que declarar?

—¿El de Paula Rosales? ¿La Diva? Sí, me acuerdo.

—Dímelos, por favor.

—Ella era la inspectora Castillo. Aneth me parece que era el nombre. El otro es conocido como jefe Goya.

—Perfecto, con eso me basta. Otro día te llamo y hablamos más.

Colgó sin esperar respuesta, le pidió perdón mentalmente por la grosería y marcó otro número en el celular.

La entrada de Urgencias del hospital San Pedro Claver tenía una luz blanca muy potente que iluminaba un amplio corredor —para permitir pasar a las camillas y a las personas en silla de ruedas en fila de a dos— y paredes de color verde claro que invocaban la serenidad de ánimo y la tranquilidad.

Correa aparcó en la misma entrada y dejó las luces de emergencia encendidas. Como precaución se puso una visera azul marino que se caló hasta el borde de los ojos. Su lugarteniente se quedó detrás de la furgoneta, subido a la moto.

Al empujar la gruesa puerta de cristal pudo ver el mostrador de recepción a la derecha. También se asomó un guardia de seguridad, alto y orondo, que lo observó de abajo arriba mientras caminaba hacia la mujer que atendía la mesa de entrada. Era una morena de mediana edad, con bata blanca de mangas cortas.

—¿Viene de urgencias? —inquirió ella cuando lo vio cerca. El rostro quemado de Alejandro pedía a gritos una cura.

—No es para mí, señora. Hubo un incendio en La Favorita, traigo heridos para que los atiendan. Si usted puede pedir desde ahí ambulancias para que vayan a atender a los que quedan, le estaría muy agradecido. Hay decenas.

—¿Dónde están los heridos que usted trae? —A Alejandro le gustó el tono mesurado de la enfermera, imaginó que esa era su profesión, y se le ocurrió una idea.

—En la furgoneta. No pueden salir por su propio pie. Hay que pedir ayuda.

—Usted también necesita atención médica.

—Yo estoy muy bien en comparación con ellos, créame. ¿Me presta un trozo de papel y un bolígrafo para anotar algo?

La mujer se levantó del asiento para ofrecerle ambas cosas y entonces Alejandro pudo ver la zona de pared que antes ocultaba por su posición. Se trataba de los retratos de los delincuentes más buscados por la Policía. El Macaco, por supuesto, estaba entre ellos.

—Ya que tiene el bolígrafo en la mano, ¿puede rellenar esto?

—No sé leer —mintió Correa y señaló el papel que acababa de garrapatear—. Solo he aprendido a poner mi nombre y mi número de teléfono, para las urgencias.

Puso el trozo de hoja boca abajo frente a la mujer.

—Aquí tiene, como he dicho, mi nombre y mi número de celular. Usted tiene cara de buena persona y le voy a hacer un encargo muy importante. Consiga que estos datos lleguen al inspector Goya o a la inspectora Aneth Castillo. Si me llaman les daré información muy importante sobre el incendio de La Favorita. Pero solo a ellos.

Correa colocó las llaves de la furgoneta sobre la nota a modo de pisapapeles.

—Por favor, los heridos están en la furgoneta. Háganse cargo de ellos, están muy graves. —Se alejó del mostrador.

La recepcionista observó cómo se iba, sorprendida. Apartó las llaves y le dio la vuelta al papel.

—Aquí pone…

Abrió los ojos y miró hacia la puerta acristalada que acababa de cerrarse. Segundos más tarde, oyó el ruido de una moto que arrancaba.

El guardia de seguridad se acercó al mostrador al ver el rostro de la mujer.

—… Alejandro Correa. El Macaco —terminó ella de leer—. Ha dejado hasta el alias, por si no lo reconocíamos.

El guardia de seguridad salió corriendo por la puerta. A pesar de su corpulencia, corría con celeridad. Regresó minutos después.

—Se han ido. Imposible alcanzarlos.

La morena le tendió las llaves.

—Ahora hay otras urgencias. Abre la trasera de la furgoneta para ver el «regalo» que nos han traído y yo avisaré al médico de guardia.

14

ANETH TODAVÍA SONREÍA cuando entró en la estación de Policía. Vélez le fue contando anécdotas chispeantes durante el camino de regreso del *pub* donde habían cenado, y había reído con todas sus ganas. Hacía tiempo que no se sentía tan relajada. Imaginaba que Matías lo hizo para que ella se olvidase por un rato de Vicente y el embarazo. Todavía fruncía el ceño cuando recordaba que se había puesto a llorar delante de Vélez. Le parecía una debilidad imperdonable. Pero él reaccionó de un modo muy compresivo, ella no hubiera esperado tanta empatía en alguien que apenas acababa de conocer.

No pudo evitar pensar en Goya y, acto seguido, en la llamada que nunca llegó a hacerle a Oliver Márquez. ¿Sería ya muy tarde? Eran más de las diez de la noche, pero prometía ser una jornada especialmente larga debido al incendio.

Vélez y Castillo se dirigieron de frente al despacho del comandante Carlos Sotomayor. Se asomaron por la puerta abierta y le encontraron allí, con el celular al oído. Sotomayor les hizo una seña para que entrasen y se sentaran. Colgó momentos después.

—Buenas noches, inspectores —saludó.

—Buenas noches, señor.

—Tengo más noticias sobre el incendio, e iba a decirles que «interesantes», pero no sé hasta qué punto utilizar ese término en una tragedia como esta.

Los inspectores se miraron entre sí.

—No voy a crearles más expectación. —Sotomayor parecía nervioso y cansado al mismo tiempo—. Esta llamada era del San Pedro Claver. Es el hospital más cercano a La Favorita. Hace quince minutos les han llevado unos heridos del incendio.

»Antes les decía que había un dato interesante en todo este asunto. Es el siguiente: las víctimas del incendio no solo muestran quemaduras graves y problemas respiratorios por haber inhalado el humo del incendio. Por lo que me han explicado, presentan signos de haber sido intoxicados o envenenados por alguna sustancia química. Algunos han fallecido y en estos momentos están dilucidando si la causa real de la muerte es la asfixia por humo o la intoxicación química.

—¿Cuánta gente han atendido? —se interesó Vélez.

—Alrededor de una veintena, que eran los que cabían en la furgoneta que las transportó hasta el Claver. Pero ya han enviado ambulancias con máscaras de gas para ir a recuperar a más víctimas del incendio que también puedan estar afectadas.

—Realmente las implicaciones son graves… —murmuró Aneth.

—En efecto, Castillo —corroboró el comandante—. Si la situación se confirma, sería posible que el incendio fuese provocado y que su objetivo fuese hacer un daño real a la población asentada en ese barrio. En resumen: hablaríamos de asesinato.

—¿Por qué? —Matías pareció lanzar la pregunta al aire, ya que en ese momento se retorcía las manos y miraba al suelo.

—¿Quién sabe? Esa es también nuestra labor. Entrar en la mente retorcida de esos homicidas y descubrir sus motivos. Por eso hemos enviado dos hombres a investigar sobre el terreno.

Los dos inspectores contemplaron al comandante con curiosidad.

—A Hilario Cota ya lo conocen. Vélez, usted lo vio en la reunión de esta mañana y más tarde, cuando se pusieron al día con la información. La otra persona es Felipe Mejía, el que sustituye a nuestro médico forense, Oliver Márquez. Iba a entrar mañana, pero esto es urgente y le he pedido que se acerque hoy.

Aneth miró a Matías.

—¿Lo conoces?

Este negó con la cabeza.

—En Becerrilla no ha trabajado, debe ser de Sancaré.

Sotomayor asintió.

—En efecto, es de otra estación de Policía de esta ciudad. Me lo han recomendado, y tengo mucha prisa porque se implique en esta investigación. Tanto Mejía como Cota irán a La Favorita a buscar pruebas en el terreno, acompañando a las ambulancias. Vamos a ver si conseguimos desenredar la madeja.

—¿Y nosotros, señor?

La pregunta la hizo Vélez, poniéndose en pie al mismo tiempo que el comandante, que estaba dando por finalizada la reunión.

—Ustedes vayan a descansar, los necesito temprano aquí. No va a faltar trabajo.

Ambos se despidieron, y cuando Aneth iba a salir, Sotomayor la retuvo.

—Espere un momento, inspectora Castillo. Vélez, puede irse y cerrar la puerta.

Aneth y Sotomayor se quedaron de pie.

—Castillo, le va a resultar muy extraño lo que le voy a contar. La persona que condujo a los heridos de La Favorita al hospital fue Alejandro Correa, el Macaco.

Aneth dio un pequeño silbido de reconocimiento. La fama del pandillero sí le había llegado.

—Lo sorprendente de la historia es que arriesgó su pellejo para llevar a esos infelices al hospital. Y también reveló su identidad a la persona de recepción solo para decirle que tenía información sobre el incendio y que se la diría únicamente a dos policías. Los nombres de los que ella tomó nota son jefe Goya y Aneth Castillo.

—¿Nosotros? —La inspectora se sorprendió.

—Me ha hecho pensar en alguien relacionado con el caso anterior, ya que es el único en el que ustedes han colaborado juntos.

—Sí, es posible.

Sotomayor se mesó el pelo.

—El caso es que facilitó un número de celular para que lo llamasen Goya o usted. Lo tengo aquí anotado.

Aneth miró a su comandante.

—¿Qué sugiere que haga, señor?

—En otras circunstancias pensaría que es una trampa para vengarse de nosotros por lo que le ha sucedido a su barrio. Pero me parece que El Macaco realmente puede saber algo que nos ayude.

—Lo llamaré.

—Hemos intentado localizar el número de celular, pero es de prepago. Lo más probable es que lo arroje a algún contenedor en cuanto termine de hablar con usted, así que no nos molestaremos en rastrearlo. Pero llame desde mi despacho, así veremos cuáles son sus exigencias.

Aneth estuvo de acuerdo. No pudo evitar asomarse con discreción por la ventana que permitía al comandante ver la oficina desde su despacho. Vio a Matías en su mesa, ordenando papeles. Debía de estar esperándola. Se dio la vuelta y se enfrentó a la llamada.

EL COMANDANTE ocupó su asiento habitual, Aneth, una silla enfrente de él. La inspectora tomó el teléfono fijo del comandante y lo puso en el centro de la mesa, luego marcó el número que le mostró Sotomayor. Presionó la tecla del altavoz para que ambos pudiesen escuchar la conversación.

Sonaron unos toques de llamada interminables hasta que, al otro lado, alguien descolgó.

—¿Alejandro Correa?

No respondieron enseguida. Los segundos se le hicieron eternos hasta que se decidió a añadir:

—Soy Aneth Castillo. Usted me pidió que llamase.

—Espere un momento.

Se oyó el ruido de unos cajones y luego unos pasos que volvieron a acercarse al micrófono del celular.

—Inspectora, ¿podría decirme su número de placa?

Aneth se sorprendió.

—Sí, por supuesto. —Se lo dijo.

—Perfecto, identidad verificada.

Sotomayor y Aneth cruzaron miradas. El primero meneó

la cabeza como diciendo «Ya te explicaré», pero Castillo ya había entendido: el Macaco había podido conseguir su número de placa sobornando a algún agente, lo que le indicaba el estado de corrupción de la Policía de Sancaré.

—La que no está segura de saber si habla con Alejandro Correa soy yo.

La voz rio.

—Está llamando al número que le dejé, ¿no es cierto? Poca seguridad más va a conseguir. Tendrá que darme un voto de confianza.

Aneth alzó los ojos hacia Sotomayor. Este hizo un gesto de asentimiento.

—Está bien, prosiga.

—Quiero que sepan que lo sucedido esta noche en La Favorita está lejos de ser un accidente. El origen no es una chispa mal apagada que luego se ha expandido, o algo similar. Ha sido un incendio provocado que ha tenido su origen en varios puntos al mismo tiempo.

—Eso lo investigaremos en cuanto se controle el fuego, señor Correa, no se preocupe.

—Alejandro está bien para dirigirse a mí, inspectora. Aún hay más.

—Siga.

—Quien incendió La Favorita no solo pretendía acabar con las casas, sino también con quienes vivían en ellas.

El comandante Sotomayor frunció el ceño ante la afirmación. Aneth vio el gesto y dijo:

—Esa acusación tendrá algún fundamento, Alejandro.

—Por supuesto, inspectora. Tengo las pruebas, pero necesito que venga a por ellas. Yo no puedo adentrarme en sus dominios por razones más que evidentes.

—Y tampoco va a decirme de qué se trata.

Hubo una pausa larga al otro lado.

—Si soy honesto, es más bien una sospecha antes que una certeza. Necesito que venga aquí y me confirme que tiene relación con el hecho de que mi gente esté muriendo.

Aneth y Sotomayor volvieron a cruzar miradas.

—¿Me está pidiendo que me adentre en uno de los barrios más peligrosos de Sancaré?

—Sí, eso le pido. Y además tendrá que pasar desapercibida.

—¿No vamos a vernos?

—Por el bien de ambos, mejor que no. Usted es inteligente, se dará cuenta enseguida de lo que no encaja. Busque en los montones de escombros. Más no le puedo decir. Pero tiene que venir esta misma noche.

Colgó.

Aneth tenía otra pregunta a punto de formular, pero se quedó en el aire.

El comandante se había quedado en silencio, frotándose los ojos. Luego la contempló.

—Hilario Cota y Felipe Mejía ya están en el terreno. Ellos pueden encargarse —le dijo a Castillo.

Aneth meneó la cabeza, con duda.

—¿Ellos van a internarse en el barrio?

—En realidad no. Irán con las ambulancias y otros policías para ayudar a los heridos, hacer preguntas y observar. Pero no pueden alejarse de las unidades móviles o no se garantizará su seguridad. Mejía estará examinando enfermos.

—Entonces está claro que lo que pide Correa es que alguien deambule por el interior de La Favorita en busca de algo sospechoso.

Sotomayor afirmó con la cabeza.

—En efecto, eso es lo que parece. Pero yo no puedo permitir que vaya sola.

La inspectora se irguió en el asiento.

—Si me disfrazo será relativamente sencillo. Hay que llegar al fondo de este asunto.

—No puedo garantizar apoyo policial en esos barrios, Castillo. Se lo he advertido en otras ocasiones.

—No podemos perder esta oportunidad. Goya no la perdería. Él habría ido, y usted lo hubiera permitido.

Sotomayor se irritó.

—Él haría el pendejo y correría el riesgo por su cuenta.

—Entonces yo voy a hacer lo mismo. Algo se me ha tenido que contagiar después de unos meses con él. —La inspectora sonrió.

—Tenga cuidado.

—Mucho. —En ese instante Aneth recordó a su bebé—. Hay asuntos pendientes que me gustaría resolver. Solo por eso regresaré.

—¿Sabe ya dónde conseguir ropa? Puedo hacer unas llamadas…

Castillo alzó una mano en gesto disuasorio.

—No es necesario. Enseguida me ha venido a la mente una persona conocida. Voy a llamarla ahora mismo.

Se levantaron ambos y se estrecharon la mano con ceremonia.

—Le estoy muy agradecido, inspectora Castillo. Sigue sin gustarme la idea, pero yo mismo hubiera tomado esa decisión.

Ella afirmó con la cabeza por toda respuesta.

Cuando salió del despacho de Sotomayor, Vélez giró la cabeza.

—¡Por fin! Creí que tendría que llamar a la brigada de secuestros.

Aneth sonrió. Era difícil no hacerlo ante aquella mirada verde chispeante.

—Creía que tú eras el especialista en secuestros.

—Era una forma de hablar. —Se acercó y la besó fugazmente en los labios—. Deberías estar ya metida en la cama, reposando. ¿Te acerco a casa?

La joven se había quedado tan sorprendida por el gesto cariñoso que tartamudeó.

—Er… no, gracias. Voy a ver a una amiga antes.

—Bueno, pues te llevo a casa de tu amiga.

—Matías, yo…

Vélez levantó las manos en alto en señal de rendición.

—Entendido, inspectora. Nada de besos ni caricias. Se me ha escapado. Prometo comportarme como un caballero de ahora en adelante. ¿Ahora sí puedo acompañarte?

Aneth sonrió. Era imposible no perdonarlo, pensó. Asintió y ambos recogieron sus cosas para salir de la estación de Policía.

—Bueno, ¿hacia dónde? —demandó Vélez.

—Orfanato Familia Casa Hogar.

—A sus órdenes —dijo con retintín Matías. Le abrió la puerta del coche como si fuera un chofer y luego la cerró cuando entró. Después se puso al volante y ambos se sonrieron antes de arrancar el motor.

16

AMÉRICA LEYÓ el mensaje de Aneth Castillo y se sorprendió en un inicio. En primer lugar, por lo avanzado de la noche, pero también porque hacía apenas una hora que estuvo hablando con Alejandro sobre ella. ¿Tendría conexión la visita?

En todo caso, ella le pedía un favor, y la joven no podía ni quería negarse. Se vistió y, con mucho cuidado para no despertar a los niños cuando pasara por delante de sus dormitorios, se deslizó por los pasillos hacia la planta baja en dirección a la puerta de entrada. Ingresó en la portería y buscó la llave maestra. Sabía que la puerta principal sonaba como un tren descarrilando, pero como estaba en el piso inferior confiaba en que los niños no se despertasen.

Fue descorriendo cerrojos y, por fin, abrió la puerta, que rechinó en sus goznes con un aullido de casa encantada. Al otro lado la esperaba una sonriente Aneth Castillo. Detrás, en un coche, un hombre que no pudo distinguir bien levantó la mano en gesto de saludo antes de arrancar y desaparecer.

—Me ha acercado un amigo, pero le he pedido que no me espere —explicó la inspectora—. En realidad, vengo a hacerte cómplice de un favor.

Aneth no hubiera sabido explicar por qué clase de mecanismo interior uno confía instintivamente en alguien, o lo rechaza. En el caso de América, la joven que tenía enfrente en ese momento, alguien de su misma edad, le había producido inmediata simpatía cuando la conoció. Pudo ser por su condición de trabajadora social en un orfanato, una labor que admiraba y le reconocía. Tampoco podía olvidar su belleza etérea, sin aderezos, y que Aneth consideraba fruto de su bondad y sencillez. Todo en ella era honesto y transparente, y Castillo veía en la joven la confirmación de que es uno quien toma sus propias decisiones y elige su vida, pues los comienzos de América Herrera estuvieron en un orfanato similar a aquel en el que ahora trabajaba.

—Pasa, por favor.

La inspectora traspasó el umbral y oyó el sonido chirriante de los goznes, el cerrojo que se corría y la llave girando en el ojo de la cerradura. Se veía que protegía a sus pupilos.

De noche, la luz procedía del patio abierto, iluminado en ese momento por cuatro pequeños focos que se dirigían hacia el centro del mismo. Su claridad permitía distinguir el paisaje de las delgadas columnas de piedra y los arcos ojivales de lo que había sido un claustro y, a través de ellos, el enlosado del patio.

—Podemos sentarnos aquí si lo deseas —ofreció América—. De hecho, creo que es el mismo lugar de la primera vez que nos vimos.

Aneth no recordaba en qué momento se había empezado a tutear con ella, pero tuvo que contactar con el orfanato después del caso de la Diva Rosales por otros temas y, en alguna de esas conversaciones, surgió aquella confianza.

—Dime en qué te puedo ayudar.

—Te va a sorprender lo que te voy a pedir —dijo Aneth—. Necesito vestirme como una *favorita*, y no tengo la ropa adecuada.

América la miró fijamente, con espanto.

—Ni siquiera me atrevo a preguntarte para qué.

—Cuanto menos sepas, mucho mejor. Pero sí es importante «camuflarme» bien. Enseguida he pensado en ti.

La joven la contempló por extrañeza.

—Otras personas podrían haberme conseguido la ropa, pero tú puedes darme otros consejos. Decirme cómo andar, cómo hablar si alguien me pregunta. Tú tienes *favoritos* entre tus niños. Seguro que sabes cómo prepararme.

América asintió con un gesto.

—Ahora comprendo. Claro, te ayudaré. Lo único… Ponte de pie.

Aneth lo hizo.

—Eres muy alta. Podría haberte conseguido unos pantalones, que serían más cómodos, pero además de poco frecuentes, llamarían la atención. Aún así, tienes bastante estatura. Vas a tener que caminar encorvada.

Castillo hizo un gesto que indicaba que no había problema.

—Lo que haga falta.

—Deberás andar inclinada, encorvada y, sobre todo, despacio. Si caminas demasiado deprisa levantarás sospechas. Esos son mis consejos.

—Lo he entendido. Así lo haré.

Herrera la contempló con aire pensativo.

—Practicaremos antes de que te vayas. Ahora voy a pensar a quién le pido «prestada» la ropa.

Un momento después, en su recorrido mental por los nombres, pareció que se le hacía la luz.

—Creo que ya tengo la solución. Espérame aquí abajo.

Mientras América iba en busca de las prendas apropiadas, Aneth aprovechó para hacer la llamada que deseaba a Oliver Márquez. Como se temía, era una hora intempestiva, y el celular le denegó la llamada: «El número está apagado o fuera de cobertura». Dejó un mensaje en el buzón de voz por si acaso Oliver era de los que revisaban las llamadas perdidas.

Diez minutos después la trabajadora social regresaba con un revoltijo de ropa entre las manos.

—Tuvimos una cocinera estupenda que se fue de un día para otro sin explicación —le contó América a Aneth—. Esta ropa se estaba lavando y no se la llevó. La teníamos guardada por si un día regresaba, ya que no tenía una talla fácil. Era una mujer alta y fuerte. Creo que esto que te dejo podrá servirte para tu propósito.

Castillo tomó las prendas y se las fue poniendo sobre su ropa. La falda le quedaba perfecta de largo, pero la cintura se le caía. En cuanto a los blusones, navegaba en ellos.

—Voy a buscar algo para arriba y un cinturón para sujetarte la falda. Con eso ya estarás lista.

Cuando volvió a quedarse sola, Aneth rumió si llamar a Goya o enviarle al menos un mensaje. Finalmente decidió que era mejor mantenerle apartado. «Tiene que terminar de recuperarse».

América regresó y la inspectora pudo hacerse con un atuendo convincente. Bajo la supervisión de la joven, hizo pruebas de cómo caminar, que esta le corrigió varias veces, e incluso practicó algunas palabras de dialecto.

—¿Sabes una cosa? —le dijo Aneth—. Me fascina lo bien que conoces a los *favoritos*. Sé que tienes niños de ese barrio, pero tu capacidad de observación es extraordinaria.

Herrera huyó la mirada y la intuición de Castillo le hizo interesarse.

—¿Has estado alguna vez allí, América?

—¿Es una pregunta para la investigación, inspectora?

A Aneth le sorprendió que se hubiera puesto en actitud defensiva.

—En absoluto. Te lo pregunto amistosamente. Eres libre de no responder.

Transcurrieron unos instantes hasta que Herrera enfrentó de nuevo la mirada de Castillo.

—Sí, estuve una vez. Conozco a un *favorito* y lo seguí. Él… nunca me cuenta nada de su vida, pero yo quería saber más. Sobre todo, quería entender.

La inspectora asintió.

—¿Y entendiste?

—Me temo que sí. —América suspiró—. La Favorita es un barrio terrible, Aneth. Creo que no te lo puedo expresar con palabras. Ale… Él siempre me lo estaba diciendo, que no era para mí. Le daba igual que le dijera que yo me había criado en la calle y que me recogieron en un orfanato. Pensaba que no iba a resistirlo.

Castillo le puso una mano en el hombro.

—Así que después de haber visitado el barrio, ¿te diste cuenta de que él tenía razón?

—En realidad… —América se acercó la mano a la mejilla para secarse una lágrima— lo peor no fue descubrir que él estaba en lo cierto, sino el verdadero motivo de que quisiera alejarme de su lado.

—¿Por qué lo dices?

—La persona de la que te hablo… nadie lo conoce en realidad. Es un hombre inteligente, con buen corazón, cultivado. Son facetas que él esconde bajo otra imagen. En otras circunstancias, él abandonaría La Favorita y podríamos estar juntos, lo sé. Pero él cree que se debe a otra familia.

—¿Otra familia?

—Sí. —La joven no pudo contener un sollozo y miró a Aneth con angustia—. Solo a mí se me ocurre enamorarme de Alejandro Correa, el que llaman Macaco.

17

La luz le molestaba. Le golpeaba por detrás de los párpados cerrados. Era una claridad hiriente, como si unos rayos buscaran abrirse camino hacia sus ojos. Y ella no quería despertarse. Deseaba seguir durmiendo, anhelaba aquel descanso que le había proporcionado unos momentos de olvido. No recordar. No sentir. No sufrir.

Pero estaba ese dolor, como un latido continuo. Algo martilleaba en silencio, rítmicamente, a un lado de su cabeza. Experimentaba un pinchazo agudo cada vez que la sangre bombeaba en aquella zona. Dolor, sí. Un golpe. Alguien le había asestado un golpe y ahora ella no se atrevía a despertar porque la sensación era cada vez más intensa. Si no se mordía los labios, iba a empezar a gritar.

—¡Enfermera! ¡Aquí! Parece que ha recobrado el sentido…

Aneth escuchó el sonido y le pareció lejano. Reconoció la voz de Matías. ¿Qué hacía allí? ¿Y dónde era «allí»?

«Un hospital», pensó. Debía de haber sido grave si estaba ingresada. Ella solo recordaba el mazazo que había conseguido sumirla en la inconsciencia. Negrura. Dolor y oscuridad.

—Aneth, abre los ojos. Mírame.

Era Vélez, en efecto. La llamaba por su nombre con cierto tono emocionado. ¿Por qué? Era su compañero, nada más. ¿O sí había algo más? Quería acordarse, pero eso hacía que su cabeza latiera más deprisa y los pinchazos fuesen más agudos.

—Inspectora Castillo, ¿cómo se encuentra?

La voz femenina la reconfortó. Hablaba de forma suave y, sobre todo, no le traía recuerdos dolorosos. Sonrió sin ganas e intentó hablar, todavía con los ojos cerrados.

—Mi cabeza…

Fue consciente de que la mujer le sujetaba el brazo que ella alzó para palpar la zona dolorida.

—Con cuidado, inspectora. Lleva un vendaje. Es mejor que no lo toque.

—Mi cabeza… —repitió Aneth—… es como una sandía madura a punto de estallar.

Oyó la risa de Matías.

—Solo a ti se te ocurre ponerte literaria con la herida que tienes.

¿Literaria? Sentía que su cerebro iba a desbordarse en cualquier momento, como una fruta a la que se le ha pasado la estación. No se sentía poeta. Al contrario, a cada instante era más consciente de aquellas terribles palpitaciones.

—Me duele mucho.

Fue una afirmación espontánea, pero obtuvo una rápida respuesta. Escuchó a la enfermera trajinando con algo metálico que estaba a su lado (el cuentagotas, dedujo) y la cálida mano de Matías que estrechaba la suya.

—El calmante le hará efecto enseguida, inspectora. —Era la enfermera la que hablaba.

Escuchó sus pasos que se alejaban.

—Por fin solos… —susurró Vélez en su oído. Lo decía con tono humorístico y ella sonrió, esta vez con ganas.

—¿No vas a abrir los ojos, perezosa? —insistió él.

Sí, era hora de despertar del todo. La claridad era molesta, pero se sentía despejada. El dolor la había espabilado.

Parpadeó varias veces y enfocó la mirada en los ojos verdes de Matías. Estaba sentado a su lado, contemplándola de cerca. Aún sostenía su mano.

—¿Qué ha pasado?

Al tiempo que lo decía, recordó algo terriblemente importante. ¡Cómo había podido olvidarlo hasta ese instante!

—El bebé —murmuró—. ¿Está bien el niño?

Vélez le apretó la mano.

—Mejor que su madre, te lo aseguro. Pedí expresamente que lo comprobasen. La que me preocupa eres tú.

—¡Yo! —Aneth intentó reírse, pero fue una carcajada sin ganas—. ¿Cómo pretendes que me encuentre? Ese canalla casi me deja sin cerebro.

—¿Lo viste? ¿Era un hombre?

La inspectora frunció el ceño.

—En realidad, no lo sé. Es una suposición. Imaginé que tenía que ser más alto que yo, pero es cierto que estaba agachada. Me había inclinado para ver… no sé qué. Algo fuera de lugar, pero maldita sea si lo recuerdo. Enseguida me golpearon por detrás.

Matías le apretó de nuevo la mano.

—Era un hombre, sí. Pero yo tampoco le vi el rostro.

Aneth se zafó de su caricia y lo miró fijamente.

—¿Tú… tú estabas allí? ¿Por qué? ¿Cómo?

Vélez se encogió de hombros.

—Te seguí. Me habías dejado preocupado. Cuando vi

dónde te adentrabas pensé que sería bueno que alguien te cubriera las espaldas.

—Podrías habérmelo dicho.

—¿Y echar a perder tu «disfraz»? ¿O arruinar algún encuentro que hubieras pactado? Tengo más inteligencia que eso, Aneth.

Ella se mordió los labios antes de decir.

—Entonces viste cómo un hombre se acercaba a mí por detrás.

Matías asintió con un movimiento de cabeza.

—No sabes cómo siento no haber llegado a tiempo. Creí que era con quien habías quedado y no pretendía arruinar la entrevista. Solo cuando lo vi sacar una porra de la chaqueta y alzarla…

Se cubrió el rostro con ambas manos.

—Qué impotencia, Aneth. No llegué a tiempo de detenerlo. Vi cómo te golpeaba y yo solo pude gritar para que no siguiera. Su intención era rematarte. Pero al verme salió corriendo y yo fui a comprobar cómo te encontrabas.

—Hecha un trapo.

—Inconsciente. Apenas respirabas. Tenías sangre en un costado de la cabeza. Te juro que yo…

Esta vez fue ella la que buscó la mano de Vélez.

—Eh, tranquilo. No pasa nada. Estas cosas ocurren.

Matías se descubrió el rostro. Los ojos le brillaban y parecían esmeraldas refulgentes.

—¿Viste algo extraño? —dijo Castillo—. Estaba buscando algún indicio de algo fuera de lugar. Quizá tú…

Él meneó la cabeza.

—No me detuve a investigar, Aneth. Me preocupaba demasiado saber si ibas a salir de aquello. Solo quería sacarte de ese sitio, donde apenas se podía respirar con normalidad. Y además, aire envenenado, si es cierto el hallazgo del San Pedro Claver.

La inspectora quiso hacer un movimiento afirmativo con la cabeza, pero descubrió que cada gesto intensificaba el dolor.

—Está bien. No pasa nada. Me hubiera gustado que descubriéramos una pista, pero te agradezco que me salvaras la vida. La mía y la de mi hijo. Ambos te debemos una.

Matías le apretó con fuerza la mano que ella le había cogido.

—Policía hasta el fin… —murmuró, y más alto añadió—. Si te tranquiliza, allí están todavía Cota y el médico nuevo. Siguen en la zona, investigando.

Ella correspondió a su apretón.

—Gracias. Ojalá encuentren algo.

Pero lo dudaba. Si Alejandro Correa le pidió expresamente que se internase en La Favorita, poco iban a hacer sus compañeros ubicados en los límites del barrio.

—Tengo que irme —dijo Vélez en ese momento—. Me voy a la estación de Policía.

—¿Qué hora es? —Castillo no había sido consciente de que la claridad también podía ser indicio del amanecer.

—Las ocho de la mañana. Has tardado en reaccionar, pero seguro que te ha venido bien el descanso.

Aneth fue ensamblando las piezas en su cabeza. Si ya era el día siguiente, ella tenía una cita dentro de dos horas con Salomé Santos.

—Ayúdame a incorporarme. Tengo que ir a trabajar.

—Ni hablar.

El modo en que Vélez sujetaba su hombro, presionándolo contra el colchón, no dejaba dudas de lo firme de sus intenciones.

—No lo consentiré, Aneth.

—Y yo no dejaré que me trates como a una lisiada.

Vélez dejó de presionar su hombro y comenzó a acariciarlo, al tiempo que acercaba su rostro al de ella. La besó despacio, moviendo sus labios sobre los de ella hasta que Aneth abrió la boca y profundizaron en la caricia. Fueron apenas unos minutos. Cuando él se apartó, su expresión era seria. Volvió a tomarle la mano.

—No sé qué me sucede contigo. —Matías apretó su mano y la acarició con el pulgar—. Sé que no es profesional, pero, maldita sea, si me arrepiento. No he podido evitar sentirme atraído por ti desde el primer momento.

La inspectora lo contempló en silencio. El corazón le latía tan rápido que casi había olvidado el dolor de cabeza.

—Ojalá no trabajáramos juntos —prosiguió él—. Si no fuéramos compañeros, podríamos pensar en una relación.

—Matías… —El tono de Aneth era de protesta.

Él puso un dedo sobre sus labios en un gesto simbólico de pedirle silencio.

—Tu novio es idiota si no sabe valorar lo que tiene. Y si rechaza a su hijo, yo estaría más que dispuesto a ocupar su lugar como padre. Adoro a los críos y, en este caso, adoro a la madre.

Volvió a inclinarse sobre ella para darle un beso fugaz y salió de la habitación.

18

—Estás distraído, papá. Si te cansas, puedo irme y volver en otro momento.

—¡No! Perdona, Laura. Me cuesta desconectar, eso es todo. Sígueme contando de tu trabajo. ¿Para cuándo la promoción?

Goya rezongó para sus adentros. ¡Vaya si le interesaba un comino las historias de empresas consultoras que explotaban a jóvenes talentos como su hija! Le entraban unos deseos incontenibles de salir de allí, agarrar de las solapas de la chaqueta al «jefecillo» de turno y contarle lo que opinaba acerca de que le mandara trabajar doce horas seguidas a Laura y al resto de sus compañeros, bajo la promesa de promocionar en breve.

«Se aprovechan de su juventud y ganas de tener un empleo», se dijo. «Les odio a todos, por explotadores y caciques».

—Papá, vuelves a estar distraído.

—En absoluto. Pensaba en tu trabajo.

Guillermo Goya observó a su hija. Había heredado la hermosura de Silvia, sus facciones delicadas y ese aire de inocencia que tanto le había atraído de la madre. Había poco de él, salvo los ojos azules y, en ciertos momentos, algún atisbo de su propio carácter impetuoso. Al fin y al cabo, fue a verlo en contra de la opinión de su mujer.

Su exmujer, se recordó. Tenía que repetírselo de vez en cuando para asimilar —le costaba hacerlo— que no volverían a ser una pareja. Silvia se lo había dejado muy claro en cada ocasión que habían hablado. Nunca soportó su trabajo de policía, y él no sabía hacer otra cosa. Sentía que había nacido para ello, como otros poseen un don para una disciplina deportiva o pasión por algún arte. Su trayectoria también lo testimoniaba: ser el «jefe» Goya, un ícono dentro del cuerpo de inspectores de Sancaré, no era algo a despreciar. Salvo por su mujer, su exmujer. Ella amaba la tranquilidad, la vida organizada, la ausencia de sobresaltos. Él convivía sin problemas con la incertidumbre, el no saber si regresaría a casa porque algún delincuente hubiera sido más inteligente. Aquellos desafíos hacían que le circulase la sangre por las venas a gran velocidad, disparaban su adrenalina. Esa era su vida. No podía renunciar a ella, ni siquiera por su familia.

Pero lo había hecho. Se buscó una amante peligrosa y esta le había arrebatado lo que creía el motor de su vida. La heroína había sido fuente de placer y, al final, un pozo en el que se hundió sin remedio. Aunque no del todo. Estaba allí, en aquel sanatorio, o centro de desintoxicación, o como diablos lo llamaran —se repetía— para salir del infierno.

Es mejor que te deje reposar. Volveré, te lo prometo.

Laura se levantó y lo sacó de su ensimismamiento. Recibió su beso en la mejilla con una sonrisa de disculpa y dejó que se fuera. Tenía que seguir pensando en el caso.

Cuando llamó la tarde anterior a la estación de Policía, Cota lo había puesto al corriente de las últimas novedades, entre ellas, lo que se traían ahora entre manos: el secuestro de la hija de Dionisio Santos.

Él conocía al empresario. Se movían en esferas tan distintas que el contacto solo podía ser tangencial, como había sucedido ahora con el hecho de acudir a la policía por el rapto de la niña. Sin embargo, hubo un asunto, años atrás, que los había hecho coincidir. Lo recordaba de modo nítido.

Santos estaba recién casado, y su mujer y él esperaban a Gabriela con mucha ilusión. En ese momento comenzó a recibir anónimos. Dionisio estaba acostumbrado a ser el centro de mira de múltiples odios y envidias. Nacido en una familia acomodada, con una esposa de orígenes también pudientes y una fortuna que crecía exponencialmente gracias a su gestión, lo normal era que despertasen los celos. Uno de aquellos «envidiosos» le había amenazado con atentar contra su mujer embarazada si no se sometía a las exigencias de una operación fraudulenta.

La tarde en que Goya recibió la llamada de Dionisio Santos creyó que era una broma. El empresario tenía suficiente capital como para contratar guardaespaldas, mercenarios o lo que creyera necesario para proteger a los suyos. Pero no era eso lo que Santos pretendía. Él quería ir a la raíz del problema, a la corrupción en la que pretendían involucrarlo y que deseaba desmantelar y sacar a la luz, aun a riesgo de su propia vida y la de su familia.

Guillermo Goya se comprometió a ayudarlo y consiguieron detener al autor de los anónimos. Pero al inspector se le quedó grabado aquel detalle, que hubiera estado dispuesto a sacrificar todo —familia, fortuna, honor— para demostrar que a él no se le podía comprar ni amenazar.

Aquello no era muy frecuente de hallar, no solo en Sancaré, sino en el resto del país. Eso lo hacía más meritorio a los ojos de Goya. Transcurrieron muchos años, pero suponía que Dionisio mantendría aquella coherencia de vida.

Por eso, cuando supo de este secuestro, su primera reacción fue de lástima hacia la hija. Sabía que su padre, por principios, no cedería frente a una extorsión. Y había muchas probabilidades de que la víctima acabara siendo la niña.

Seguramente Santos estaba al corriente de que él, el inspector Goya, estaba fuera de circulación. Por eso había recurrido a la policía sin preguntar por él. No dudaba de que sus compañeros estarían esforzándose al máximo en el caso, pero había que presionar a Dionisio. Casi con toda certeza, él conocía la identidad del secuestrador. Y debían obtener esa información a como diera lugar. Si no, la gran perdedora en aquella historia sería una niña inocente de doce años.

Por otra parte, estaba el asunto del incendio. Tenía todos los visos de ser intencionado, pero nadie quería informarle acerca del caso. Aneth le había despachado con monosílabos, Márquez no respondía el teléfono, el comandante Sotomayor poco menos que le había amenazado con no reintegrarle el puesto como siguiera llamando en lugar de concentrarse en su recuperación.

«¡Ya estoy recuperado, carajo!», se dijo. Había superado el mes y medio de aislamiento, podía recibir visitas, en unos días más solicitaría el alta y volvería al ajetreo del trabajo de poli de calle, que era lo que le gustaba. Se equivocaban manteniéndolo al margen. Poseía más experiencia en el terreno, conocía a Dionisio Santos, incluso había estado en La Favorita. Se reconcomía solo de pensar en cuánto podría ayudarles y, en cambio, estaba condenado a la inmovilidad.

—Tengo que salir de aquí.

Lo expresó en voz alta, sentado en uno de los bancos que jalonaban la senda asfaltada que conducía al bosque. Le gustaba ese recodo, y allí se habían acomodado su hija y él cuando fue a verlo aquella mañana, temprano. Ahora el sol brillaba con más fuerza, y le calentaba la cabeza y la espalda.

—Tengo que ayudar.

Expresado de ese modo, le pareció hasta justificado el plan que empezaba a trazar con su mente ahora despierta, increíblemente despejada. Como en los viejos tiempos.

19

VÉLEZ SE HABÍA IDO, pero también se había quedado. Aneth se dio cuenta de hasta qué punto se convirtió en alguien importante para ella. Por una parte, los gestos y las palabras de Matías la hacían sentir atractiva y deseable. Dadas las circunstancias actuales, aquello no era poco. Pero, además, había que considerar su último comentario. Saber que estaría dispuesto a hacerse cargo de su hijo le producía una tranquilidad que no solo era reconfortante, también era una muestra de que existían hombres capaces de apreciar la familia, algo que ella consideraba prioritario.

La experiencia de su padre, Pedro, con una mujer que le había abandonado, no suponía para Aneth una renuncia a disfrutar de su propio hogar. Al contrario, ella siempre deseó una familia como la que intuía que podría haber tenido si su madre no los hubiese abandonado. La inspectora no deseaba que su hijo creciera sin la figura paterna, como ella había estado huérfana de la experiencia materna. Le parecía lógico que pudiera poseer ambos, si ello era posible. Vicente, como pareja, había demostrado ser un hombre con muchos altibajos y ella no necesitaba eso. Quería una vida personal tranquila, precisamente con la calma que no existía en su vida profesional.

Pero no pretendía continuar con aquellos pensamientos. Ahora que le habían confirmado que su bebé no corría peligro, lo prioritario era continuar con el caso. Recordó que tenía aún pendiente la conversación con Oliver Márquez. Miró hacia la mesita que estaba a su derecha y localizó el celular.

Con mucho esfuerzo alargó la mano para tomarlo. Intentó no hacer movimientos bruscos, porque la cabeza, a pesar del calmante, aún seguía provocándole pinchazos. Comprobó que aún quedaba batería y dio gracias a Dios mentalmente. Hubiera sido demasiado esfuerzo intentar localizar el cargador. Con la agilidad de quien está habituado a manejar el celular con una mano, fue repasando las notificaciones pendientes, deslizando el pulgar por la pantalla. Había algunos mensajes de correo electrónico, pero ninguno de ellos correspondía a Vicente. Imaginó que aún estaría digiriendo la noticia.

Tampoco había llamadas perdidas. Márquez no le había devuelto la suya de la noche anterior. Eso sí que le preocupó. ¿Dónde se habría metido Oliver? No lo conocía mucho, pero no le parecía el tipo de persona que desaparece por un asunto urgente y ni siquiera es capaz de poner un mensaje. El médico forense era una persona concienzuda, meticulosa, que no dejaba flecos. Si esa era su forma de ser también en el plano personal, estaba claro que algo extraño sucedía.

No necesitó más excusas para hacer la llamada que deseaba. Marcó el número de Oliver Márquez y se mantuvo a la espera hasta que una voz electrónica le confirmó que el otro celular estaba apagado o fuera de cobertura. Decidió escribir un mensaje de texto para que supiera que estaba intentando localizarlo. Le pedía que, por favor, se pusiera en contacto con ella. Que era urgente. Quizá así el médico se conmoviera e intentara responder su llamada.

La segunda opción que le vino a la cabeza fue hablar con Goya. No habían transcurrido ni siquiera veinticuatro horas desde que habló por última vez con él, pero le parecían siglos. Marcó al número fijo de la clínica y le respondió la misma señorita amable del día anterior, deseándole buenos días e indicando el nombre del establecimiento.

—Me gustaría hablar con Guillermo Goya.

Como esperaba, la voz al otro lado le recordó que no se podía hablar con un paciente si no era un familiar. Aneth decidió ser sincera.

—Estamos en el curso de una investigación y es prioritario que contacte con el inspector Guillermo Goya.

Fue tan insistente que la señorita terminó por ceder a su requerimiento. Aneth ya cantaba victoria cuando al otro lado volvió a escuchar una voz femenina.

—Ahora mismo no lo localizamos. Su hija vino a verlo muy temprano y salieron a dar un paseo. Todavía no ha regresado.

«Maldita sea», pensó Aneth.

—Lo comprendo. Entonces voy a pedirle que le deje un recado. Dígale que la inspectora Aneth Castillo le ha llamado y que está preocupada por la desaparición de Oliver Márquez. Que si puede hacer algo para contactarle.

Dio las gracias y colgó. Luego soltó un juramento tras otro hasta calmarse. Estaba detenida en aquella habitación, sin poder hacer algo para avanzar.

Contempló la hora en el gigantesco reloj de pared que había en la habitación. Ya eran casi las nueve. Algo hizo clic en su cabeza, y se acordó nuevamente de Salomé Santos. Hoy había quedado con ella en la estación de Policía. La mujer tenía que comunicarle información importante. Era evidente que no podría salir del hospital para recibirla, así que decidió que lo mejor era confiar en la pericia de su compañero.

«A la tercera va la vencida», se dijo y marcó el número de Matías Vélez. Hubo suerte.

—¿Ya me echas de menos? —La voz cálida de él estaba impregnada de socarronería.

Aneth no pudo evitar sonreír.

—No seas tonto. Te llamo porque necesito un favor, uno inmenso.

—Pues tú dirás.

—Hoy tenía que ver a la mujer de Santos, recordarás que anoche me llamó para proporcionarnos información importante, a espaldas de su marido. Dado que nos conoce a los dos me parece que sería mejor que la atendieses tú, en lugar del comandante. Tendrá más confianza para hablar.

—Claro, no hay problema, dime la hora.

—Llegará a las diez.

—Aquí estaré, pendiente. Yo me encargo. Tú lo único que tienes que hacer es recuperarte lo antes posible.

Castillo colgó, con un sentimiento de alivio que hacía tiempo que no experimentaba. ¿Qué iba a hacer cuando se fuera Matías? Se estaba volviendo imprescindible en su vida.

20

—CHEDES, cuéntame lo que has visto.

Alejandro Correa estaba en uno de sus lugares preferidos, en lo alto del montecillo desde el cual se podía divisar el océano. Después de haber llevado a los heridos al San Pedro Claver había continuado recogiendo enfermos y acercándolos a las inmediaciones de las ambulancias. Supuso que la afluencia de estas últimas era gracias a su aviso en el hospital y le produjo un secreto orgullo saber que había podido ayudar a su gente. Finalmente, terminó por pedir ayuda a sus pandilleros para transportar al resto de los heridos desde los puntos más alejados del barrio hasta donde les podían atender médicamente, y estos respondieron con generosidad. Fruto del trabajo en equipo habían salvado muchas vidas, ya que nadie se atrevía a internarse en el barrio aún en esas circunstancias.

Lo único que le extrañaba era no haber visto a la inspectora Castillo. Por la información que le dio Meri él supuso que Aneth acudiría, tal y como quedaron. Por ese motivo ordenó a su lugarteniente que investigase si una mujer forastera estuvo deambulado por el barrio. En estos momentos estaba recibiendo el informe.

—Chedes, cuéntame lo que sea. ¿No has sabido nada?

—Sí, Macaco, pero no te va a gustar.

—Escúpelo.

Su lugarteniente hizo literal la orden, se desprendió del purito que estaba fumando y lanzó un escupitajo a su derecha.

—Estuvo aquí y la agredieron.

—¿Quién? No habrá sido uno de los nuestros.

—No, Macaco. Un desconocido. Suponemos que era la inspectora porque estaba buscando entre los escombros, como le dijiste. Y justo cuando iba a tomar algo entre las manos, ¡zas!, apareció de la nada un hombre que le dio un buen golpe en la cabeza.

—¿Y nadie la ayudó?

Chedes se encogió de hombros.

—¿Qué quieres? No era una *favorita*. Bastante tenían con lo suyo, tosiendo como tísicos. —Levantó una mano al ver que Correa iba a comenzar a protestar—. Además, alguien la salvó.

—¿Te refieres a otro forastero?

—Eso es, Macaco. Un tipo acudió a rescatarla. Así que hubo tres forasteros en la escena. Pero eso no es lo más interesante.

Alejandro contuvo su impaciencia y dejó que el otro se regodease en su historia.

—¿Sí? Cuéntame.

—Los dos hombres, el que la golpeó y el que la salvó, se conocían. Discutieron mientras la mujer estaba tendida. El que no le había pegado se la llevó, pero lanzó varios juramentos al otro.

—Realmente interesante —dijo Correa.

—¿Verdad que sí? —Chedes sonaba orgulloso.

—Pues sí. Parece que no deseaban que su fechoría se descubriera, pero tampoco querían llevarse por delante a la inspectora. Bueno, en realidad a uno de ellos no le importaba, ¿no es así, Chedes?

Este lo confirmó:

—Mientras uno de ellos se llevaba a la mujer, el otro se hizo con la prueba. Pero se los veía metidos en el mismo asunto.

—¡Hum!

—¿Qué vas a hacer con esta información, Macaco? ¿Se lo dirás a la poli?

Alejandro se quedó pensativo unos instantes. Su número de celular lo tenía solo Castillo y la habían dejado fuera de juego, ahora no podía arriesgarse a llamarla. Tendría que saber primero si se había recuperado de la agresión.

Por un momento acarició la idea de acudir él mismo a comprobar que todo iba bien. Se sentía responsable, en cierto modo, por haberle pedido que acudiese a La Favorita. Pero eso era completamente imposible. La habrían ingresado en algún hospital del centro de la ciudad. No podía arriesgarse tanto. Aunque sí sabía a quién se lo podía encomendar.

De todas formas, no le gustaba el cariz que estaba tomando aquel asunto. Se enfrentaban a una gente a la que no le importaba quitar de en medio a quien estorbase, y eso era preocupante. Esas personas no solo conspiraban para envenenar a toda la población de un barrio, sino que no dudaban en desafiar al mismo cuerpo de Policía de Sancaré, aquellos que representaban la ley. Algo le decía que había más historia detrás. Los intereses que estaban en juego debían de ser muy elevados. De otra forma no se hubieran arriesgado a asesinar a una inspectora solo para destruir pruebas.

—Macaco, ¿qué hacemos?

—De momento, decirle a los otros que deben seguir colaborando para ayudar a los nuestros. Falta mucha gente aún.

»Y respecto a lo que tú y yo descubrimos, hay que hacerse con una prueba. Tendría que haber dejado ese objeto en el hospital cuando fui allí. Me perdió la precipitación. Pero esto es solo una confirmación de que vamos por buen camino.

»Eso sí, hemos comprobado cómo se las gastan. Habrá que andarse con cuidado. Pero si es necesario, yo mismo llevaré esa cosa a la comisaría.

—Sabes que me tienes para lo que necesites.

—Lo sé, Chedes. Vete ya, te busco luego.

Su lugarteniente se subió a la motocicleta y se alejó de allí.

Alejandro Correa había pasado la noche en blanco, pero no era la primera vez. Mientras ejecutaban alguna «operación», podía pasar dos o tres días sin conciliar el sueño. La adrenalina lo mantenía despierto. Como en estos momentos, que se sentía más despejado que nunca.

Observó, una vez más, el horizonte. El cielo tocando el mar. No se cansaba de contemplarlo. En cierto modo, el océano simbolizaba la libertad, la que ansiaba en lo más profundo de sí mismo. Ni siquiera a Chedes le podía hacer partícipe de sus pensamientos. Confesarle que había ocasiones en las que el deseo de hacerse con alguno de aquellos yates —se conformaba incluso con un pequeño barco— era una tentación casi tan fuerte como la droga. Viajar a otros lugares, establecerse en un país remoto. Algún sitio donde su fama no lo precediese y pudiera comenzar de cero. Olvidar su pasado, fundar una familia.

Pero entonces, cuando más acuciante era su ansia de huir, lanzaba una mirada alrededor suyo y veía al resto de *favoritos*. Puede que él llegara a tener alguna vez la opción de alejarse, pero ellos no podían escapar. Estaban condenados a una vida de pobreza y delincuencia. Quizá no habían sufrido, como él, un padre violento cuya única aspiración era la de forjar un heredero a su altura, otro líder que aterrorizase a Sancaré y que demostrase que la única ley válida era la de la fuerza y la destrucción. Pero no eran menos esclavos de su herencia.

Sin embargo, Alejandro Correa no era como su padre. Muchas veces lamentaba tener que moverse en el lado criminal porque sabía que existía otro camino, aún más, estaba convencido de que la salvación de La Favorita no llegaría del modo que había imaginado Néstor Correa. Pero él no poseía las armas para conseguir esa redención. Solo podía sobrevivir y enseñar a otros a hacerlo del modo menos dañino.

Borrar la fama de La Favorita era su anhelo secreto, una tarea imposible. Aun así, no podía dejarles. Se sentía responsable de sus pandilleros y de las familias de estos. Cuando un *favorito* sufría, él también. Y aunque se repetía de continuo que su padre no tuvo razón al usar la violencia, en momentos como aquel se sentía tan impotente que hubiera echado mano de cualquier recurso —cualquiera— para enfrentarse a sus enemigos.

Alguien intentó acabar con su gente, más aún, había demostrado que estaba dispuesto a pasar por encima de la ley para conseguir su objetivo. Alejandro tenía su hipótesis acerca del asunto, que le sonaría descabellada a quien la oyese. Y, además, era difícil hacerla creíble por proceder de él. Así que estaba obligado a pedir ayuda a los «honestos» para que hicieran de altavoz de sus sospechas.

Sí, hubo una época en la que pensó en huir, pero no tuvo corazón para hacerlo. Ni siquiera para hacer feliz a la mujer que amaba, y que le correspondía. Ambos tendrían que conformarse con vivir en la frontera de sus mundos, unidos y separados por una labor común. Habían situado a los demás por encima de sus propios deseos.

Por eso quería tanto a América: admiraba su generosidad,

la entrega a una causa noble, la de acoger y cuidar a niños sin padres. Él también tenía el encargo autoimpuesto de proteger a los suyos, y sacrificaría todo lo que fuera necesario, también su felicidad personal, por llevarlo a cabo.

Había comprendido tiempo atrás que «Algo» o «Alguien» más sabio que él —llamado Dios, ser supremo o la Providencia— lo había separado de su madre para llevarlo a vivir con los que realmente necesitaban de su ayuda. Si no pensara de ese modo se hubiera quitado la vida mucho tiempo atrás. Pero la inteligencia despierta de la que estaba dotado y aquel corazón compasivo que escondía con celo eran dos armas con las que podía luchar para hacer algo por los suyos.

Y lo haría, no porque fuera un justiciero nato, sino porque creía firmemente que los *favoritos* ya habían sufrido lo suficiente como para saltarse un Purgatorio y hasta el Infierno. Pero nadie les iba a llevar al Cielo antes de tiempo.

21

La ESTACIÓN de Policía estaba casi desierta en esos momentos. La mayor parte de los efectivos se habían trasladado al barrio de La Favorita para ayudar en las labores de evacuación y traslado de los damnificados al San Pedro Claver y a otros hospitales cercanos.

Matías observó el reloj y vio que marcaba las nueve. Se acercó al despacho del comandante y le dio los buenos días desde fuera. Este levantó la cabeza un instante de los papeles y le indicó con un gesto que entrara.

—Buenos días, Vélez —saludó—. ¿Cómo se encuentra esta mañana nuestra inspectora? Viene del hospital, ¿no?

—Sí, señor. La inspectora Castillo ya se ha despertado y protesta por retomar el trabajo.

—Ese es mi equipo. Pero no la vamos a dejar hasta que los médicos lo digan.

—Sí, señor. Eso mismo le he dicho yo.

—Perfecto, entonces puede ponerse a la tarea, que hay bastante.

Vélez se dirigió al despacho de Goya. Iba a aprovechar la

ausencia de este para conseguir privacidad. Cerró la puerta. Se sentó con calma estudiada detrás del escritorio y abrió la primera carpeta que tenía delante. Si alguien pasaba y sentía curiosidad por verle allí, creerían que estaba revisando algún expediente atrasado.

Tenía que darse prisa para hacer la llamada que deseaba. Tomó el celular y marcó. Estuvo dando vueltas a la conversación que mantendría con Dionisio Santos, y respiró hondo para que su voz sonara tan tranquila como pretendía. Su gesto se volvió serio mientras se escuchaban los tonos del teléfono.

En ese instante Matías se dio cuenta de que había olvidado activar el simulador de voz. Cuando Santos contestó la llamada se mantuvo en silencio unos segundos antes de responderle, buscando la esquiva función en el teclado del celular. Le había costado un triunfo conseguir la aplicación y al final fue Valentina quien le ofreció la solución a través de uno de sus contactos, un informático que diseñó una a su medida.

—¿Quién es? —La voz de Dionisio Santos rezumaba impaciencia.

Vélez le admiró la sangre fría. En ninguna de las conversaciones que mantuvieron lo vio perder el control. Se había mostrado enfadado, enojado, furioso incluso, pero jamás consiguieron intimidarlo, que era su objetivo. Ni siquiera el rapto de Gabriela le había conmovido. ¿Cómo era posible que existiera un hombre así? Quizá era el modo que encontró para sobrevivir en la jungla de los negocios, pero igual le parecía una persona demasiado fría.

Ni siquiera él, pensó Matías, que también se movía por dinero, podía prescindir de su parte afectiva. Cuando vio al imbécil de su socio golpeando a Aneth se le revolvieron las entrañas. Influyó, seguramente, el hecho de saber que la mujer estaba embarazada. Si no hubiera detenido a su socio la inspectora estaría muerta en estos momentos. Había intentado hacer comprender al otro que lo que deseaban conseguir no hacía falta obtenerlo con muertes indiscriminadas. Una cosa era envenenar a los *favoritos* y otra muy diferente matar a un policía.

Pero a su socio le daba igual. Él quería terminar el trabajo cuanto antes y obtener su parte. Si para ello debía de sembrar el camino de cadáveres, lo haría. Al fin y al cabo, le dijo, luego sería tan rico que podría establecerse donde le diera la gana y con total impunidad. Al oírle decir aquello, Matías había comprendido que aquel hombre no vacilaría en deshacerse de él y de Valentina si no cumplían con su parte. Desde luego, era el cerebro de aquella operación porque no tenía escrúpulos.

—¿Quién es?

La voz del empresario le trajo de nuevo a la realidad de la conversación que tenía pendiente.

—Señor Santos, creo que ya sabe quién soy.

—Usted otra vez.

—Sí, y seguiremos insistiendo hasta que nos conceda lo que exigimos.

—Les he dicho infinidad de veces que solo van a salir perdiendo con el secuestro de mi hija. Tarde o temprano los descubrirán, y no habrá conseguido nada salvo una condena perpetua en la cárcel. Eso porque ahora no existe la pena de muerte.

—Señor Santos, mucho me temo que no debe haber visto las últimas noticias.

—¿A qué se refiere?

—Al incendio de La Favorita, por supuesto. Si le ha llegado el eco sabrá ahora que podemos conseguir lo que deseamos sin necesidad de su ayuda. Su hija no será ya necesaria y nos desharemos de ella. Está en sus manos recuperarla y acelerar nuestros planes. Si sigue postergando su decisión, nos atrasará, pero no impedirá nuestro objetivo. Y en el camino se habrá quedado una vida inocente.

El silencio al otro lado del celular le confirmó a Matías que por fin el empresario estaba dispuesto a escucharlo.

—Señor Santos, todos queremos lo mejor para Gabriela. Hagamos un trato.

Vélez casi podía palpar la indecisión al otro lado de la línea. Lo tenía por fin. Pero en ese instante alguien llamó a la puerta del despacho.

Cortó la llamada sin pensarlo dos veces y la persona que había avisado con sus toques entró. Era una compañera de la estación de Policía.

—Vélez, me ha costado localizarte. Podrías haber dejado dicho que ibas a estar trabajando aquí.

—Perdona, he estado con Aneth y se me ha ido el santo al cielo.

—Cierto, lo lamento. ¿Qué tal está?

—Recuperándose. Pronto la tendremos entre nosotros. ¿Deseabas algo?

—Sí, quería avisarte de que ha venido la señora Santos.

—Son apenas las nueve de la mañana. —Matías consultó su reloj—. Creía que había quedado a las diez.

—Sí, ella lo ha comentado. No sabía si podrías atenderla. De hecho, ha preguntado por la inspectora Castillo y le he dicho que no estaba, pero que te lo comentaría a ti.

—Has hecho muy bien. Aneth me puso al tanto para que pudiera recibirla. Hazla pasar, por favor.

Cuando la mujer cerró la puerta, Matías escribió un mensaje de texto a Dionisio Santos: «Seguiremos esta conversación en otro momento. Le dejo espacio para reflexionar. Llamaré de nuevo».

22

Valentina se levantó de peor humor que el habitual. Cuidaba mucho su descanso, dormía en un colchón viscoelástico con la dureza adecuada para su espalda, y procuraba acostarse temprano para dormir las horas mínimas recomendadas. Pero no siempre le llegaba el sueño. Después del mensaje que le envió Vélez había sentido una aprensión que la mantuvo insomne.

Sabía que existía la posibilidad de verse obligados a ejecutar el plan B. Debía serenarse, hacía muchos años que se hizo insensible al hecho de matar. Si se veía abocada a realizar aquella parte de su tarea, cumpliría.

Había amanecido antes de que saliera el sol. Desde la cama alcanzó su celular y fue revisando en Internet las noticias del incendio. Sus dos socios debían de estar satisfechos, parecía que el trabajo se estaba desarrollando según lo previsto. Cerró los ojos e imaginó en su cuenta bancaria la generosa comisión que le ofrecieron. Había infinidad de posibilidades para gastarla. Quizá era una locura, pero consideró incluso la idea de buscar a Pablo, su antiguo monitor y amante. No sabía si la recordaría después de cuatro años, pero ella sí que se acordaba de él. Pensaba en Pablo muy a menudo, demasiado.

Se levantó e hizo una primera tanda de ejercicios. Luego se duchó y, con el pelo aún húmedo, fue a la cocina, en el piso inferior, para prepararse un desayuno energético. Tocino, huevos fritos, salchichas e incluso un plato de frijoles. Le vino al pensamiento la idea de compartir aquel festín con la niña, pero la desechó enseguida. No deseaba malcriarla ni generarle expectativas que luego no se iban a cumplir. Si ella se hubiera encontrado en su misma situación, lo agradecería. Cuanto más consciente fuese de que era una rehén que podía perder la vida en cualquier instante, mejor. No le gustaba engañar a sus prisioneros.

Cuando miró el reloj de pared de la cocina vio que había pasado el tiempo y ya eran las nueve de la mañana. Era hora de visitar a la niña. Se tocó el pelo. Aún quedaban rastros de humedad, pero lo llevaba tan corto que no tardaría en secarse y le gustaba la sensación de frescor. No tenía el cabello de la longitud que hubiera deseado, para usar pelucas era mucho más cómodo tenerlo así. Y teñirse no era una opción que se planteara cuando quería cambiar de imagen.

Se dirigió a la sala de musculación y se descolgó la llave que llevaba al cuello. Cuando estaba abriendo con ella consideró que iba a tener que atar a Gabriela. No deseaba que se envalentonase y la esperara agazapada detrás de la puerta. Giró la llave y abrió. Dejó la luz encendida la noche anterior, pero no era muy potente, así que imaginó que la niña habría podido dormir. Según iba descendiendo las escaleras y la figura de Gabriela se le hacía visible, la sorprendió que esta no se moviese.

Al llegar a su lado se arrodilló y comprobó que la niña tiritaba, a pesar de la manta que la cubría. Le puso una mano en la frente y confirmó que estaba afiebrada. Aquello era un inconveniente. Lo último que deseaba era moverla del escondite, pero tampoco podía permitir que Gabriela falleciera antes de tiempo.

Levantó en brazos, apenas sin esfuerzo, el delgado cuerpo de la niña. Subió las escaleras. Cayó en la cuenta de un descuido: había olvidado encender el equipo. Le ayudaba a ocultar cualquier posible sonido que se produjera en la casa, sobre todo si a Gabriela se le ocurría comenzar a gritar. No lo parecía porque tenía los ojos cerrados con fuerza, como si sufriera. Pero lo mejor era no arriesgarse.

Volvió sobre sus pasos y regresó al fondo del sótano. Se quitó la cinta del cabello, la que usaba para despejarse el pelo de la frente, e improvisó una mordaza. Rasgó el protector que le puso a la colchoneta y se quedó con un trozo de tela, que convirtió en una pelota. Luego lo introdujo en la boca de la niña. Con la cinta la aseguró para que no la escupiese, cubriéndole los labios y atándola por detrás. A la chica le iba a resultar más costoso respirar en esas circunstancias, pero tenía que sacarla de allí. También le vendó los ojos.

Gabriela no protestó ni siquiera cuando aquella mujer le metió «aquello» en la boca, de modo que apenas podía salivar. La noche anterior la niña había creído tener una gran idea. Su amiga Denise conocía varios trucos para subir la fiebre y ella había probado todos los que estaban a su alcance, entre ellos dormir en el frío suelo y mordisquear una de las esquinas de la pared de yeso. No sabía si funcionaría, pero cuando experimentó los primeros escalofríos, dio gracias a su amiga con el pensamiento. El problema es que realmente se sentía mal, así que regresó a la colchoneta cuando le pareció que estaba amaneciendo y se arropó con la manta que le dejó la mujer.

Su plan parecía ir desarrollándose como quería, y su

secuestradora la estaba transportando escaleras arriba. La casa estaba en silencio, no se oía aquel estruendo permanente de la música. Gabriela ya se había decidido, en cuanto pusiera un pie fuera del sótano lanzaría tal aullido de auxilio que la escucharían hasta en la China. Si luego aquella mujer decidía arrojarla por las escaleras o estrangularla allí mismo, le daba igual. En ese momento nada le importaba, salvo el hecho de conseguir que alguien oyera sus gritos y sospechara de aquella vecina. Descubrirían su cadáver, pensó Gabriela, y detendrían por asesinato a aquella horrible mujer. Se haría justicia al menos. Ella ya daba su vida por perdida.

Sin embargo, todo indicaba que no había llegado su momento. La mujer podría haber amanecido distraída, pero luego se concentró e hizo muy bien su labor. Gabriela no podía gemir siquiera de lo apretada que tenía la mordaza. Además, la fiebre real le estaba pasando cuenta, se sentía muy débil. No hubiera podido huir aunque hubiese tenido la posibilidad.

La mujer volvió a cargarla y la sacó del sótano en brazos. Luego sintió cómo la transportaba a lo largo de una sala. Al oír el sonido del equipo a todo volumen comprendió que la secuestradora se había dado cuenta de aquel olvido.

Se iban esfumando sus esperanzas de escapar. Le entraron unas incontenibles ganas de llorar de pura impotencia. Pero no podía dejarse llevar, se ahogaría. Y ella debía ser fuerte: su familia la esperaba. Le vino a la mente la figura de su padre. No era de trato cariñoso, pero Gabriela lo admiraba. Prefería el carácter fuerte de Dionisio antes que la sensiblería de su madre, Salomé. A veces había considerado cómo era posible que aquel matrimonio se entendiera tan bien. Se querían, pero no podían ser más diferentes. La niña pensaba que su debilidad de carácter procedía de la madre, y eso la enrabietaba. Sin embargo, también poseía algo de su padre. No estaba dispuesta a rendirse y se dejaría matar si con ello conseguía que aquella mujer quedara al descubierto.

Mientras continuaba con estos pensamientos, la mujer ya la estaba llevando hacia otra habitación. Subían unas escaleras, así que dedujo que la casa debía de ser grande. Al cabo de unos minutos sintió que su espalda quedaba apoyada en un colchón. ¿Sería el dormitorio de su secuestradora? Sintió un gran alivio cuando le quitaron la mordaza y la bola de tela. Luego le ordenó que tragase una pastilla que le dejó en la lengua y la hizo beber de un botellín de agua. Gabriela no protestó porque estaba eufórica. Aquella habitación seguramente tendría ventanas y ella podría asomarse a alguna de ellas y pedir auxilio. Pero no se esperaba el siguiente movimiento de la mujer. Esta le palpó uno de los brazos e inmediatamente después sintió un doloroso pinchazo.

—A dormir, Gabriela. —Fueron las últimas palabras que escuchó antes de sumirse en la inconsciencia.

Valentina le quitó la venda de los ojos a la niña y también le desató las manos. Luego la arropó con una manta térmica para que mantuviese el calor y no empeorase de la fiebre. Le había dado un medicamento del Ejército que hubiera sanado a un moribundo. Se recuperaría pronto. Al salir le dio doble vuelta a la llave de la habitación.

El dormitorio en el que Valentina la dejó era una habitación interior, sin ventanas. Aún en el hipotético caso de que la niña se despertase, poco podría hacer en un lugar que no tenía más muebles que una cama y una silla.

Se alejó silbando. Hora de seguir con sus ejercicios.

116

23

DESPUÉS DE ENVIAR EL MENSAJE, Vélez se levantó de su asiento y abrió la puerta del despacho. Instantes después apareció la señora Santos en el umbral. Aquella mañana ella se mostraba nerviosa, mucho más que cuando la visitó en su mansión de Villablanca. El lápiz de ojos se le había desdibujado, dejándole unas extrañas ojeras. Matías supuso que se debía a las lágrimas. Lo confirmaba también la rojez de su nariz.

—Señora Santos, pase, por favor.

Vélez cerró la puerta en cuanto ella entró en el despacho.

—Seguramente no me esperaba —dijo ella despacio, intentando iniciar la conversación—. Venía a hablar con la inspectora Castillo, pero afuera me han comentado algo preocupante. ¿Es cierto que está en el hospital?

—No es nada de gravedad. Ayer estuvimos colaborando para extinguir un incendio en La Favorita y ella tuvo un percance.

Parecieron ser las palabras adecuadas porque la mujer asintió y luego se dirigió a él.

—Verá, inspector, anoche llamé a su colega por un tema de suma importancia. Dado que usted también investiga el caso, me parece que puedo compartirle lo que le iba a decir a la inspectora Castillo.

—Por supuesto, aquí me tiene. ¿Es algo relacionado con su hija?

—Así es. Tengo nuevos datos que pueden ayudar. Como le dije a su compañera, tengo la certeza de que mi hija ha sido secuestrada.

—Continúe, por favor.

Salomé Santos se agarró las manos y comenzó a retorcerlas.

—En primer lugar, quiero comentarle que he venido directamente a la estación de Policía porque hubiera sido imposible revelarle esto en mi casa. Mi esposo salió temprano esta mañana y yo he aprovechado para ausentarme a mi vez. Por eso me he adelantado a la hora convenida.

—¿Su esposo tiene información y no quiere colaborar? —Matías alzó una ceja.

—El asunto es bastante complicado, inspector Vélez. Lo cierto es que mi marido siempre ha sabido quién estaba detrás del secuestro, pero no lo quería hacer público.

—Está claro que no es un caso tan sencillo como parecía en un inicio.

—En efecto. Tampoco deseo dar la impresión de que mi marido es culpable por haberles ocultado información. Él está siendo extorsionado y la moneda de cambio es nuestra hija. La están utilizando para amenazarlo a él y que cumpla con sus condiciones.

—¿Y usted cómo ha sabido eso?

—Escuché una conversación telefónica.

—¿Oyó quién estaba al otro lado?

—Lo ignoro. Pero sí sé qué es lo que quieren esos hombres.

—Por favor, prosiga.

—Quizá debería escribir la declaración, ¿no cree, inspector?

—Claro. —Matías contuvo su fastidio—. En otras circunstancias sería lo más adecuado, pero nos encontramos con el personal en mínimos debido al incendio.

Salomé asintió y el inspector suspiró de alivio por dentro. Estaba harto de la gente que había visto demasiadas películas policíacas.

—Hagamos lo siguiente —propuso Vélez—. Grabaré esta conversación y después uno de los compañeros la transcribirá. Cuando la tenga, la haré llamar para que la firme. ¿Le parece bien?

—Perfecto.

—Pues entonces, vamos a comenzar de nuevo. Señora Santos, ¿tiene alguna información que aportar con relación al secuestro de su hija Gabriela?

—Sí, inspector Vélez. He venido a compartirles todo lo que sé.

»En primer lugar, quisiera disculparme. Desde el inicio tuve la certeza de que nuestra hija había sido secuestrada. Mi marido no quería confirmarlo, e incluso llegó a decirme que haría un gran mal a la niña si iba difundiendo mis sospechas. Lo único que me tranquilizó en aquellos momentos fue el verlo acudir a la policía para que lo buscasen.

»Sin embargo, cuando usted y la inspectora Castillo estuvieron en nuestra casa, no les dijo toda la verdad. Yo sabía que mi marido había recibido unas llamadas amenazantes la semana anterior. No era la primera vez y Dionisio sabe manejar muy bien esos asuntos. No exageró al confirmarles que tiene muchos enemigos, de hecho, de vez en cuando nos llegan anónimos amenazantes. Pero nuestra casa está fuertemente vigilada, es casi imposible entrar en ella si antes no se posee una autorización y hemos podido comprobar los antecedentes de las personas que nos visitan. Por eso ambos creíamos protegida a la familia. Le aseguro que usted y la inspectora Castillo entraron en nuestra casa porque previamente nuestro personal de seguridad había revisado su expediente. Ni siquiera podemos fiarnos de los policías.

—Me alegra saber que fuimos encontrados sin tacha.

—En efecto, así fue —dijo Salomé y continuó—: El día que nos visitaron le dejé un mensaje a la inspectora con mis sospechas.

—Sí, ella me enseñó la nota.

La mujer asintió.

—Esa misma noche mi marido recibió una llamada de amenaza. No era como las anteriores porque, en este caso, él mencionó a nuestra hija. Si antes tenía sospechas, en ese momento tuve la certeza de que Gaby había sido secuestrada. Lo que no alcanzaba a saber es lo que deseaban de mi marido. Sin embargo, tras aquella conversación, por fin pensé en una posible teoría acerca de lo que sucede.

»Ya conoce que mi marido, entre otras ocupaciones, se dedica a la construcción. Se trata de un gremio de hombres poderosos y, por ese motivo, no solo es el dueño de una de las constructoras más grandes del país, sino que pertenece a muchos consejos directivos y conoce en persona a gente muy poderosa e influyente. Gracias a nuestra fortuna personal nos movemos en círculos muy selectos. Dionisio es un hombre honrado, pero no puede negar que, gracias a su red de contactos, ha multiplicado su fortuna de modo exponencial.

»Asimismo, mi marido es un hombre muy respetado. Si decide emprender una obra, probablemente otros lo seguirán.

Si él renuncia, otros seguirán su ejemplo porque considerarán que si Santos lo rechaza es que no merece la pena.

»Le explico esto, señor Vélez, porque en este caso alguien pretende utilizar la influencia de mi marido para emprender una nueva obra de construcción.

—¿Y podría decirme dónde estaría situada esa nueva obra?

—Sí, en el barrio de La Favorita.

—Eso es imposible. La zona está ocupada por centenares de casuchas.

—Eso es precisamente lo que la persona que chantajea a mi marido desea. Quiere que Dionisio les ayude a declarar insalubre el barrio, lo que implicaría echar abajo todas las viviendas que hay allí.

—¿Me está diciendo que todo esto lo ha escuchado en una conversación telefónica?

—En absoluto. Solo se mencionó el nombre del barrio. Pero luego he investigado por mi cuenta y he descubierto que el terreno de La Favorita es deseable por muchos motivos. Debido a su situación, en la zona de costa, y en dirección al balneario Santa Laura, es una zona realmente privilegiada. El hecho de que ahora esté ocupada por gente muy pobre no le resta valor.

»En los inicios de la ciudad de Sancaré no era más que un barrio de las afueras, ni siquiera conectado con la gran urbe. Pero con el paso del tiempo y la afluencia de gente que se ha venido a vivir aquí, ahora puede verse como un terreno con infinitas posibilidades para explotar. Además de las vistas al océano, está su cercanía a otros barrios, podría decirse, más normales. En definitiva, si yo fuera una persona dedicada a construir viviendas, me resultaría muy atractivo pensar en ese barrio como un terreno listo para edificar. Y lo que se podría levantar ahí, si no estuviera ocupado, son viviendas del estrato siete. ¿Sabe usted qué es el estrato siete, inspector?

—Sí, precisamente el otro día lo estuvimos mencionando.

Salomé hizo un gesto de afirmación y dijo:

—¿Qué opina entonces de todo lo que le he contado?

—Creo que todo lo que me ha expuesto, aunque sea fruto de su deducción, suena muy factible. No sabe cómo le agradezco la información.

Vélez apagó la grabadora e indicó a la señora Santos que habían terminado. La acompañó hasta la salida de la estación de Policía. Luego regresó a su despacho, donde volvió a encerrarse. Marcó un número de teléfono en el celular y habló unos minutos con su socio. Cuando colgó hizo otra llamada. Se oyó la voz de una mujer al otro lado.

—Te escucho.

—Buenos días, Valentina. Me gustaría empezar el día con mejores noticias, pero eso no va a ser posible.

La voz al otro lado soltó una risita irónica.

—Tampoco creerías cómo ha sido el comienzo del mío. Adelante, desahógate.

—Resulta que Salomé Santos no es una mosquita muerta como creíamos y se ha dedicado a buscar a su hija al mismo tiempo que la policía.

—¿Qué es exactamente lo que sabe?

—Todo, Valentina. Lo único que desconoce son nuestros nombres, pero las motivaciones las tiene claras. Es cuestión de tiempo que ate cabos.

Hubo un silencio al otro lado, hasta que finalmente la mujer habló.

—¿Qué quieres que haga?

—Mira, se nos está yendo de las manos. He hablado con nuestro socio, y opina que tenemos que eliminar todos los flecos de esta operación.

»En lo que a ti respecta, pensamos que es el momento de liberar a Gabriela y entregársela a su madre. Y la menciono a ella, a Salomé, porque ese será el momento que aprovechemos para quitarla de en medio. Sabe demasiado.

—¿Me estás diciendo que finiquite a la madre?

—Sí. Y no te preocupes, porque ya nos queda muy poco para terminar.

—Muy bien, cuenta con ello.

—Deberías agradecérmelo, Valentina, te estabas mal acostumbrando con tanta bicicleta de gimnasio.

Ella resopló antes de colgar y Matías soltó una carcajada.

24

CUANDO ESTABA BAJANDO las escaleras después de la llamada de Vélez, Valentina oyó el timbre de la puerta. En el poco tiempo que llevaba instalada en aquella casa era la primera vez que sonaba. Por fortuna, estaba preparada para esa eventualidad, se dijo.

Deslizó una mano por su cabello y lo encontró ya seco. Fue hasta el equipo de sonido y lo apagó. Sería algún vecino que venía a quejarse del excesivo volumen de la música. Contempló su imagen en el espejo de la sala de ejercicios. Estaba vestida con una malla ajustada de cuerpo entero que resaltaba su musculatura. Se acercó a una silla donde había varias prendas dobladas y se puso una camiseta amplia sobre el top. Era unas cuantas tallas por encima de la suya y disimulaba bastante su figura. Lo que no podía ocultar era sus piernas.

No tenía tiempo de cambiarse. El timbre sonó por segunda vez, y ahora que Valentina apagó el equipo la persona que llamaba tenía la confirmación de que había alguien en la casa. Abrió la puerta con la sonrisa ya colocada en el rostro. Al otro lado aguardaba un hombre de unos treinta años. No vestía uniforme, pero Valentina había visto demasiados policías de paisano como para no reconocer a uno cuando se le presentaba.

—Buenos días, señora.

—Señorita. —No pudo evitarlo, le fastidiaba aquel tratamiento—. Buenos días —continuó más amablemente. ¿Qué desea?

—Soy el inspector Hilario Cota y me gustaría hacerle algunas preguntas.

—Claro, inspector, ¿desea entrar?

—Si no le molesta…

—Iba a hacer café. Puedo invitarle uno si quiere.

—Encantado. —Hilario dio dos pasos y entró—. ¿Vive aquí sola?

—No, pero hoy tengo fuera a mi pareja. Viaja con frecuencia. —Mientras hablaban, Valentina cerró la puerta. Luego le guio hacia la cocina.

Hilario llevaba investigando pistas sobre la mujer musculosa desde que había obtenido su retrato hablado el día anterior. Esa mañana, temprano, uno de sus informadores le contactó para comentarle que podía tener una pista. Un colega de un colega (siempre era así, pensó Hilario, todo menos dar nombres) había vendido varios aparatos de ejercicios en su tienda a una mujer que instaló un gimnasio en su casa. Esta se correspondía en edad con la que la policía buscaba, aunque no era rubia ni tenía el pelo rizado, al contrario, su cabello era oscuro y lo llevaba muy corto, como un chico.

Lo que les llamó la atención es que había pagado los aparatos al contado, y no eran cantidades precisamente pequeñas. Incluso comentó con el dueño la posibilidad de revenderlos cuando se trasladase, lo cual podría suceder en una fecha próxima. Su confidente le indicó dónde estaba la casa de la mujer. Era una zona de viviendas unipersonales. Casi todas las construcciones eran chalés de tres o cuatro plantas, si se contabilizaba el sótano y la buhardilla.

—Inspector, aquí tiene su café.

—Es usted muy amable.

Cota siguió observando a su alrededor. Se fijó en un armario con vitrina donde se exhibía una vajilla china de porcelana. Era curioso el gusto actual por la cocina asiática. A él que le dieran un buen perrito caliente.

—¿Y bien? ¿En qué puedo ayudarlo?

—Verá, señora. Los vecinos me han comentado que tiene usted la música puesta permanentemente, y además a un volumen muy alto.

—¿Y para eso viene a visitarme un inspector de Policía?

«Esta mujer no tiene nada de estúpida», se dijo Cota.

—Bueno —le respondió en alto a la mujer—. Yo estaba en la zona. A ellos les tranquiliza saber que nos hemos pasado por aquí y hemos dado un toque de advertencia.

Mientras hablaba, el inspector era cada vez más consciente de que aquella mujer encajaba muy bien en el perfil que buscaban. La ropa que tenía puesta no disimulaba su cuerpo de culturista. Por si hubiera tenido alguna duda con la camiseta, estaba contemplando en ese momento sus pantorrillas, que parecían dos columnas.

—Entonces, ¿qué puede decirme? —insistió Cota—. Respecto a la música.

—Qué quiere que le diga, inspector. Cuando mi pareja no está me gusta oír música para no sentirme tan sola.

—Pues mucho me temo que tendrá, o bien que aflojar el volumen, o bien prescindir del todo de ella. Lo entiende, ¿verdad?

—Por supuesto.

Hilario sentía que había olfateado una presa y decidió tirar más del hilo.

—Me va a perdonar la indiscreción, pero no he podido evitar fijarme en que usted parece ejercitarse a conciencia. La verdad es que a mí tampoco me vendría mal. ¿Acude a algún gimnasio?

Ella se encogió de hombros.

—Alguna vez lo he hecho, pero ahora prefiero tener las máquinas en casa. Una vez que has cogido la rutina no tienes que estar esperando a que se liberen. También me ahorro las miradas del resto.

—Claro —confirmó el inspector—. Usted es una mujer muy atractiva. Llamará la atención.

La mujer se rio.

—Bueno, no es eso lo que más les llama la atención. Somos pocas mujeres culturistas en comparación con los hombres.

Hilario Cota insistió:

—Entonces, si tiene los aparatos en su casa, ahora encuentro lógico que desee entrenar con hilo musical. El ejercicio es más entretenido.

Ella sonrió.

—Usted sí que me entiende, inspector.

Este se incorporó con desgana.

—Le agradezco el café. Ahora que ya he cumplido mi cometido no tiene por qué tener problemas con los vecinos. Estoy seguro de que pondrá todo de su parte para cuidar el volumen.

—No lo dude.

—¿Me permitiría utilizar un momento su baño?

Ella pareció dudar un instante.

—Claro, faltaría más. Déjeme ver solamente si lo he dejado recogido.

Le guio hasta el único cuarto de baño que existía en la planta baja. Estaba al lado de su salón-gimnasio. Era el mismo que Gabriela había usado la noche anterior.

Valentina entró en él y echó un vistazo alrededor. No parecía que la niña hubiera dejado mensajes de ningún tipo. Tampoco la niña imaginaría que alguien del exterior pudiera entrar allí. Inspeccionó los armarios, el rollo de papel higiénico, y limpió posibles huellas del espejo. Finalmente, dio por terminado su reconocimiento.

—Adelante, inspector —dijo ella al salir.

—Muchas gracias. —Hilario Cota le sonrió—. Me va a perdonar, pero no sé su nombre.

—Disculpe mi mala educación. Deduje que lo sabía antes de llamar a mi puerta. Mi nombre es Valentina Cárdenas.

No hubo ningún titubeo mientras ella confirmaba su identidad. El nombre se correspondía con el que figuraba en el contrato de alquiler de la casa, y que Hilario ya había investigado.

—Muchas gracias, señorita Cárdenas.

Cuando el inspector entró en el baño emprendió la búsqueda de pistas. Aprovechó los dos minutos que Valentina empleó en revisarlo para asomarse a la sala de musculación. Allí no había más entradas que aquella por la que se asomaba y una pequeña puerta en la pared. ¿Adónde conduciría? Quizá era el acceso a un sótano, pero no tenía tiempo de comprobarlo.

A no ser que aquello fuese un escondite con aseo, le parecía lógico pensar que si Gabriela estaba en la casa alguna vez la habrían dejado subir al baño. Y en ese caso, ¿sería tan inteligente la niña como para haber dejado algún mensaje? ¿Dónde lo habría puesto?

Valentina tuvo tiempo suficiente para borrar pistas, así que obvió los sitios evidentes. El espejo parecía estar pegado a la pared, pero solo en apariencia. Con mucho cuidado le dio la vuelta. En la parte de atrás alguien dejó un nombre y una fecha, usando un pintalabios. Era el nombre de Gabriela y la fecha era del día anterior.

El descubrimiento le inyectó una nueva dosis de adrenalina. Ahora tenía la certeza de que la niña estuvo allí, al menos el día de ayer. Solo necesitaba una orden de registro de la casa, y quizá la historia terminase bien.

Tiró de la cisterna, abrió el grifo para lavarse las manos y se secó con la toalla.

Cuando Valentina lo vio aparecer, el gesto del inspector era neutro.

—No la molesto más. Gracias por dejarme utilizar el baño. Y recuerde lo del volumen de la música.

Valentina acompañó al inspector hasta la puerta de la calle. Observó cómo este se montaba en un coche y se alejaba. Tenía un mal presentimiento.

Aquel hombre le había preguntado demasiado acerca de su actividad física. Si lo que realmente pretendía era avisarle de que bajara el volumen de la música, no le parecía necesaria esa curiosidad. Más bien parecía querer comprobar otros datos. ¿Alguien estaba buscando a alguna mujer de sus características? Ella pensaba que nadie la había visto hablar con Gabriela, pero parecía que no fue tan cuidadosa como creyó. Tenía que salir de allí cuanto antes y llevarse a la niña con ella. Recordó que esta seguía arriba, con fiebre y escalofríos.

¿Cuánto tiempo le llevaría a aquel policía conseguir una orden de registro? Puede que solo tuviera una hora para desaparecer. Subió a la habitación, abrió con llave la puerta y entró. Gabriela seguía durmiendo bajo los efectos del calmante. Comprobó la temperatura de su frente. El medicamento parecía haber hecho efecto. Decidió dejarla unos momentos y eliminar las pruebas del sótano.

Recogió de la silla de la sala de ejercicios su celular y habló con su otro socio, comunicándole sus sospechas. Este la tranquilizó y le dijo que todo estaba a punto de terminar, que Vélez ya tenía en el bolsillo a Dionisio Santos. Cuando colgó, Valentina continuaba nerviosa.

Tenía el sentido del peligro agudizado como un animal salvaje, y en aquellos instantes poseía la convicción de que algo no iba bien. Fue a su dormitorio y comenzó a hacer la maleta, que apenas abultaba más que una bolsa de deporte. La llenó con las cuatro prendas básicas y el neceser. Ya solo quedaba el espacio para la vajilla china. Cerró la maleta y la bajó al piso inferior. Allí fue tomando cada uno de los pequeños tazones y los envolvió en el papel burbuja que tenía preparado. La pequeña maleta se llenó por completo. La dejó en el armario-ropero del vestíbulo.

Ahora solo quedaba borrar su rastro. Bajó al sótano y subió la colchoneta, que era una de las que usaba en su sala de ejercicios. La colocó junto con el resto, en un montón. Descendió de nuevo y recogió lo demás. Las revistas las tiró a la papelera y dobló la manta para guardarla en un altillo de su armario. En cuanto al protector de tela que había hecho jirones para la mordaza, lo tiró también a la basura y cerró la bolsa. A mediodía pasaría el camión de basura. Era su oportunidad de deshacerse de todas las pruebas.

ANETH YA ESTABA ACUSANDO la inmovilidad. Había revisado el celular decenas de veces, pero Márquez no llamaba ni enviaba mensajes. Era el momento de ponerse en marcha. Pulsó el botón al lado de su cama y, momentos después, apareció una enfermera

—¿En qué puedo ayudarla, inspectora?

—Necesito que me den el alta. Tengo que reincorporarme al trabajo.

—Lo comprendo. Lo consultaré con el médico, aunque... —La enfermera la observaba como si ella fuera una niña pequeña rebelándose ante alguna medicina desagradable.

—¿Cuál es el pero? —Aneth se impacientaba.

—Ha sufrido un traumatismo craneal. Si le soy sincera, dudo que el médico le permita abandonar el centro.

—Pregunte de todas formas, por favor.

La enfermera se fue. Castillo era la única ocupante de la habitación y dio gracias mentalmente por aquel hecho. Con mucho cuidado se fue incorporando de la cama. Le seguía doliendo la cabeza, pero no del mismo modo que a primera hora de la mañana. Observó su mano izquierda, en la que una gasa disimulaba la aguja que le introdujeron en la vena para suministrarle la medicación. Con cuidado, despegó el celo que lo sujetaba y retiró la gasa. Luego extrajo la aguja y utilizó la gasa para secar la gota de sangre que afloró.

El siguiente movimiento, ahora que ya estaba libre de ataduras, fue sentarse en la cama por completo. Le llevó unos momentos normalizar la respiración después del esfuerzo, pero tampoco le pareció imposible la tarea de pararse. Lo iba a conseguir.

Tanteó con un pie desnudo el suelo. No lograba localizar las zapatillas. Quizá la ingresaron de urgencias y no imaginaban que se fuera a levantar ese día.

Decidió contar tres y lanzarse. Colocó ambos pies en el suelo frío y luego apoyó el peso de su cuerpo en ambas piernas. Ahora debía revisar el vendaje de la cabeza.

Fue caminando con pasos cortos hacia el cuarto de baño, allí podría mirarse en el espejo. Cuando se asomó al umbral y encendió la luz, la imagen que le devolvió este fue la de su rostro, más pálido de lo habitual, y la visión de una gran venda que ocultaba parte de su cabeza. Si realmente era tan aparatosa por dentro como parecía por fuera, iba a tener que abandonar sus planes de irse.

Con mucho cuidado empujó el vendaje hacia arriba y suspiró de alivio. No le habían afeitado el cabello. Debían de haberle colocado aquel vendaje para amortiguar el dolor de la cabeza al apoyarse.

Ahora que se quitó aquella cosa blanca de la cabeza y se contemplaba en el espejo, opinó que su aspecto había mejorado. Ella siempre fue pálida, y la ausencia de maquillaje la hacía parecer más lívida aún, pero no era nada que no se pudiera solucionar con el contenido de su neceser.

Abrió uno de los armarios del baño y comprobó que

alguien había dejado las cuatro cosas básicas que creía que la inspectora iba a necesitar, aunque ninguna era suya. Claro, nadie pudo ir a su casa a recoger ropa y otros útiles.

Encontró un cepillo de dientes, pasta dentífrica, un peine y horquillas. En la ducha había champú y gel, además de una esponja.

A Aneth le provocaba mucha pereza el solo hecho de pensarlo, pero decidió que una ducha de agua caliente le vendría bien para terminar de despejarse.

Escuchó en silencio un instante por si oía a la enfermera volver. Nada. Cerró con pestillo la puerta del baño y se desvistió. Entró en la ducha. Con cuidado, para que el agua no le cayese sobre la cabeza, fue abriendo el grifo. Disfrutó la sensación del agua corriendo por su piel. Se enjabonó despacio y dejó también que le mojara el cabello. Agarró el champú y se lavó el pelo, enjuagando los mechones poco a poco. Cuando finalizó toda la operación ya se sentía más recuperada y, sobre todo, le había dado tiempo a repasar los aspectos del caso que más le preocupaban.

Mientras se envolvía en la toalla decidió cuáles iban a ser los siguientes movimientos. Lo primero que iba a hacer era llamar a Matías para que fuese a buscarla. Sabía que protestaría, pero no le importaba. Terminaría por apoyarla. Ella lo hubiera hecho si estuvieran en el caso contrario.

Abrió la puerta del aseo y buscó su ropa en el armario. Como suponía, era la misma con la que se había disfrazado. No le seducía la idea de volver a utilizar aquellas prendas que aún mantenían el olor a quemado, mucho menos ahora que estaba recién duchada, pero no tenía otro remedio.

Una vez que consiguió ponerse la ropa y comprobó en el espejo del baño que no parecía demasiado ridícula, se peinó despacio y se secó el cabello con el secador que había en el aseo. Toda la operación le llevó una hora y se sentía exhausta.

¿Dónde estaba la enfermera? Ella temió todo el tiempo que la interrumpieran y llamaran al orden. ¿Acaso no había dicho esta que lo iba a consultar con el doctor? ¿Sería una excusa para tranquilizarla y dejarla esperando unas horas más?

Si aún no habían ido a buscarla, era el momento de irse. Pero antes tuvo que sentarse unos instantes en la cama y serenar la respiración, que se le había agitado. Buscó en el cajón de la mesa contigua algún calmante que le aliviara el dolor que volvía a golpearla. Encontró una tableta de Paracetamol y tomó una de las pastillas con ayuda de un vaso de agua. Le haría efecto en media hora como mucho. Vio el celular sobre la mesa y marcó el número de Matías. A estas horas ya habría terminado su entrevista con Salomé Santos. Estaba deseando saber qué tal le fue. Se acercó el celular al oído y contó siete toques de llamada antes de que saltara el buzón de voz. Estaba claro que no era su día de suerte. Insistiría más tarde.

Estaba a punto de levantarse de la cama, en la que yacía sentada, cuando se abrió la puerta. Era un médico. Por un instante pensó que se enfadaría al verla ya vestida. Debía aprovechar esa oportunidad para demostrarle que ya estaba recuperada por completo. Lo interpeló:

—Doctor, qué bien que haya podido pasarse. Me encuentro muy bien, como le dije a la enfermera, y me gustaría que me diese de alta.

El médico se acercó a ella. No era mayor, a pesar de que estuviera completamente calvo. Su perilla, perfectamente recortada, era oscura y sin atisbo de canas. Llevaba las mangas de la bata remangadas y le llamaron la atención sus brazos delgados y nervudos.

—Inspectora Castillo. —La llamó por su nombre y Aneth observó su expresión seria—. No puede levantarse —prosiguió—. Ha tenido una contusión muy fuerte y lo mejor es que descanse.

—Pero si van a venir a buscarme enseguida… —Castillo pensó que, de ese modo, no podría ponerle objeciones.

—¿Ha llamado a su familia para que la recojan? —El médico observó el celular que ella tenía en la mano con gesto acusatorio.

—No, a mi compañero.

El doctor asintió.

—¿Se refiere a la persona que le estuvo acompañando esta mañana?

—Sí, el inspector Matías Vélez.

El médico se acercó más aún y guardó las manos en los bolsillos de su bata.

—Me temo que es demasiado pronto para que usted se vaya. Yo avisaré a su compañero de que debe continuar reposando.

Antes de que Aneth abriese la boca para protestar, el doctor sacó una mano del bolsillo y apretó con fuerza su brazo.

—Inspectora… —Su voz era ahora un susurro—. No me gustaría tener que obligarla, pero debe descansar.

Castillo estaba sorprendida y tardó en reaccionar.

—¡Oiga! —protestó.

—No me obligue a hacerlo.

El rostro del médico estaba muy cerca del suyo. Le impresionó lo oscuros que parecían haberse vuelto sus ojos.

—¿Hacer qué?

—Esto.

Transcurrió en un instante. El médico sacó la mano del otro bolsillo y Aneth vio una jeringuilla. Tardó décimas de segundo en clavársela en el brazo que le sujetaba, con una precisión increíble.

135

—¿Qué ha hecho?

El corazón de Aneth galopaba. Ese hombre era peligroso.

—Tranquilizarla. Necesita descansar, ya se lo he dicho. Verá cómo se encuentra mucho mejor al despertar.

«¿Despertar?», pensó Castillo, «¿realmente iba a despertar?»

Quería hablar, pero sentía que la vista se le nublaba. Hizo un esfuerzo.

—Por favor, por… favor. Matías…

El médico de la perilla ya estaba en la puerta. Se cruzaron sus miradas silenciosas. Al salir, cerró tras él.

26

Valentina paseaba nerviosa por la casa después de haber hablado con Vélez. No le preocupaba tanto tener que «echarse» a alguien como el hecho de que hubiera niños de por medio. Esa sería la primera vez en su trabajo.

Tal y como le habían planteado su siguiente paso, parecía que Gabriela iba a ser testigo de cómo ella liquidaba a su madre. «Eso no es bonito», pensó Valentina. Ella había sufrido esa experiencia en carne propia. Vio cómo le disparaban a su padre porque este pretendía dejar de colaborar con la mafia en la que estaba involucrado.

Aquel día, la niña de cinco años que era ella maduró. Se acabaron las muñecas, los juegos de polis y ladrones, la rayuela. Los hombres que le quitaron la vida a su padre se convirtieron en una obsesión. Pese a su corta edad, decidió que los buscaría para que tuviesen el mismo final.

La ocasión se le presentó mucho antes de lo que esperaba. Solo tenía quince años, pero se preparó física y emocionalmente para la tarea. Había conseguido un arma y sabía usarla con puntería. Se entrenaba como velocista y sabía que no la podrían alcanzar si huía corriendo. Su plan era tan mortal como simple: disparar, matar y huir. El momento sería la reunión que aquella familia mafiosa iba a tener un domingo en el jardín de un restaurante, con motivo de la boda de uno de ellos.

El único factor que no previó fueron los niños. Al ser una celebración, aquellos asesinos acudieron con sus mujeres y vástagos. Se sintió incapaz de ejecutarlos. No podía matar a aquellos hombres delante de los niños. Sabía el coste psicológico que le había supuesto a ella ver asesinado a su padre frente a sus ojos. Si lo hacía, la infancia de aquellos críos finalizaría como había terminado la suya. Sus padres eran culpables, ellos no. Prefería esperar a otra ocasión antes que crear traumas innecesarios. Aquel día, los asesinos de su padre tuvieron un aplazamiento en su ejecución. Pero no el perdón.

Aguardó hasta que sus caminos volvieron a cruzarse. Valentina dejó de usar muchos años antes su verdadero nombre. Era imposible que nadie reconociera en la chica de veinte años a la niña de cinco. Por eso consiguió entrar en la misma mafia que su padre. Ellos la buscaron para que se les uniera, sabedores de su pericia con las artes marciales. Era una casualidad y una señal: había llegado el momento de la venganza.

Esperó a la ocasión adecuada para traicionarlos. Cuando la policía llegó al lugar y vio los seis cadáveres, cada uno con un único tiro mortal en su cuerpo, resolvió el caso calificándolo de «ajuste de cuentas».

En el momento de disparar, Valentina ni siquiera se dio el gusto de explicarles por qué lo hacía o quién la enviaba. Aquellos desahogos de «mataste a mi padre» le parecían un error de las venganzas «en caliente». Que dedujesen ellos, de sus incontables fechorías, por cuál de esas estaban siendo ajusticiados. Pero no quería vacilar. Vacilar era fracasar.

Y qué venganza tan redonda había sido, aun sin alegato. Los muy ingenuos acogieron en su grupo al veneno que luego los mataría.

Valentina siguió paseando por la sala de ejercicios. Entre la fiebre de Gabriela, el encargo de Vélez y la visita de aquel inspector de Policía —Cota, ¿así había dicho que se llamaba? — la jornada se le complicó.

Eso le hizo recordar que no avisó a Matías de que un policía había ido a hacer preguntas. Tomó el celular y le puso un mensaje.

Respiró hondo y por fin se decidió a hacer la llamada que estuvo postergando. Oyó cuatro tonos antes de que Salomé Santos se dejara oír al otro lado.

—¿Diga?

La mujer sonaba nerviosa. Eso tranquilizó a Valentina. Debía recordar que ella tenía el poder en esa negociación.

—Señora Santos, no nos conocemos.

—¿Quién es? —La voz al otro lado se oía asustada.

—Creo que lo intuye. Soy la persona que retiene a su hija Gabriela.

Hubo un silencio al otro lado durante unos breves instantes.

—¿Una mujer? —Valentina entendía ahora su vacilación —. ¿Me está diciendo que usted es la secuestradora? Cómo puede, creí que era un desalmado, pero…

—Calle y escuche. —A Cárdenas no le gustaba el cariz emocional que estaba tomando la conversación—. La llamo para indicarle cómo recuperar a su hija.

—¿Quiere dinero? ¿Es eso? ¿Lo hace por dinero?

Valentina comenzó a considerar menos odioso el hecho de tener que liquidar a esa mujer.

—Le he dicho que me escuche. ¿Quiere que su hija vuelva o no?

Por fin consiguió que la otra se tranquilizase.

—Sí, claro que quiero. —La voz de Salomé parecía haberse serenado—. Mi marido…

—Su marido ha cumplido con su parte —mintió Cárdenas—. Por eso ustedes recuperarán a Gabriela.

—¿Qué tengo que hacer? —La pregunta fue hecha con tono sumiso. Valentina asintió con un gesto, aunque su interlocutora no podía verla.

—Voy a enviarle un mensaje de texto con una dirección. Nos veremos allí a las cinco de la tarde. Acuda sola, nada de policía. No le comente nada a su marido. No queremos descentrarle de lo que está haciendo por nosotros.

Nuevamente hubo un silencio.

—¿Es cierto que la tiene usted? —La voz de Salomé se había hecho suspicaz—. Quiero una prueba.

Valentina pensó que en esa familia veían muchas películas policíacas.

—Claro, junto con el mensaje le enviaré una foto.

—Eso no sirve. Quiero hablar con ella.

—Tendrá que servir. —Cárdenas se afirmó con un tono más duro del empleado hasta entonces—. Si no viene a la dirección que le indico a las cinco de la tarde, no volverá a verla. Usted decide.

—Envíeme la foto al menos con un periódico que indique la fecha de hoy.

Valentina resopló.

—A las cinco de la tarde, señora Santos. Nada de policía. Ya sabe lo que sucederá en caso contrario. No nos defraude, ni a Gabriela ni a mí.

Cuando colgó, sintió un alivio inmenso. ¿Cumpliría aquella mujer con su parte? ¿Avisaría a alguien? Esperaba no tener que lamentar más bajas que la prevista.

Subió a la habitación donde descansaba la niña con un

catálogo en la mano. No solía comprar el periódico, pero le dejaban publicidad en el buzón de la casa, y aquel folleto indicaba la fecha de ese día.

La habitación estaba a oscuras, así que encendió la luz de la lámpara de la mesilla. Gabriela seguía con los ojos cerrados. Palpó su frente y vio que la fiebre había desaparecido. Colocó el catálogo junto a la almohada y sacó una foto. Luego se la envió a Salomé junto con un mensaje para que acudiera a una dirección del distrito de Olivares. Era una cafetería grande, con varias salidas. Podría dejar allí a la niña, deshacerse de la madre y huir sin problemas.

Volvió a observar a Gabriela y comprobó la hora. Era la una de la tarde. Le quedaban cuatro horas para convertirse en huérfana.

—Descansa, niña. Lo necesitarás.

No se molestó en ponerle otra inyección. No quería arrastrar un peso muerto. Salió de la habitación y cerró con dos vueltas de llave.

En el interior del cuarto, Gabriela abrió los ojos.

27

LA LUZ ya no era tan brillante, pero la cabeza le dolía. Alzó una mano y se la llevó al lugar donde la habían golpeado. Tenía puesto un vendaje, pero aquella zona le provocaba pinchazos muy desagradables.

¿Qué había sucedido? Las imágenes le llegaban en oleadas, como una marejada: su camino hacia el baño, la ducha, volver a vestirse con aquellas prendas que conservaban el olor a quemado. El médico. Sí, el médico de mirada extraña que terminó poniéndole una inyección para evitar que se fuese del hospital.

¿Por qué lo hizo? No le había movido la preocupación. Sus palabras rezumaban amenaza. «Es mejor que descanse, inspectora Castillo», había dicho antes de irse. Deseaba retenerla: ¿por qué?

Volvió a sentir un pinchazo en la cabeza y no pudo evitar un gemido de protesta. Se giró a un costado de la cama, para no apoyarse sobre la parte dolorida. Sintió frío en las piernas, volvía a llevar puesto el camisón del hospital. Era como si nada hubiera sucedido: la venda de la que se desprendió, el cambio de ropa, volver a verse acostada en la cama. Pero sí que había ocurrido. Y Aneth necesita saber quién era aquel médico, si este era en verdad un doctor.

Buscó su celular en la mesita. Sí, allí estaba. Pulsó primero el botón para llamar a la enfermera y luego tomó el teléfono para comprobar la hora.

El reloj digital le indicó que ya pasaban las dos. También tenía un mensaje sin leer. Era de Salomé Santos. Le decía que la secuestradora la había contactado y que quedaron en el distrito de Olivares para recuperar a Gabriela.

«No me gustó la conversación, inspectora. He tenido miedo y le he pedido al inspector Vélez que me acompañe. A las cinco, si Dios quiere, mi hija volverá con nosotros».

Aneth reflexionó unos momentos. Aquella mañana, Salomé Santos se había reunido con Vélez para transmitirle información clave para el secuestro. Poco después la presunta secuestradora le comunicó a la madre que liberaban a Gabriela. No le extrañaba que la señora Santos dudara sobre qué hacer. ¿Qué le había contado a Matías esa mañana? Tenía que averiguarlo.

Marcó el número de celular de Vélez pero, por segunda vez en esa mañana, el teléfono sonó sin que nadie respondiese al otro lado. «¿Dónde te has metido?», se preguntó Castillo.

Necesitaba compartir sus inquietudes con alguien de confianza. Lo lamentaba, pero iba a involucrar a Goya sí o sí. Volvió a llamar a la clínica y nuevamente le atendió la señorita amable.

—Buenos días. O buenas tardes —saludó Aneth—. Soy la inspectora Aneth Castillo. Esta mañana dejé un recado para que el inspector Guillermo Goya me llamase.

—¿No le ha llamado? ¡Cómo lo siento! —Al otro lado la voz de la mujer sonaba sincera.

—Entonces, ¿sí le dieron mi recado? ¿Por qué no me ha contactado?

—Lo ignoro, inspectora.

Castillo maldijo en voz baja.

—Páseme con él, por favor. Es urgente.

—Me temo que no podrá ser.

—¿Está paseando de nuevo?

—No. —La señorita sonaba algo avergonzada—. Esta mañana el inspector tomó el alta voluntaria.

—¿Cómo?

Aneth pensó rápidamente. ¿Qué podía haber sucedido?

—¿Sabe usted dónde ha podido ir? ¿Lo acompañaba alguien?

—Lo lamento, inspectora Castillo, pero se fue solo y no dejó ninguna indicación. Le sugiero que intente localizarle en su domicilio.

«¡Ja!», pensó Aneth. Si Goya se había ido no era para estar tranquilamente en casa.

—Muchas gracias. Ya lo encontraré.

Colgó y miró hacia la puerta. «¿Dónde se ha metido la enfermera? Esta mañana llegó al poco de llamarla».

Recordó al médico que le inyectó aquel tranquilizante.

«Dios mío, estoy en peligro».

Cuando se incorporó, notó que el dolor era menor que en la mañana. Tenía poco tiempo y mucho que hacer.

De nuevo buscó su ropa —no se habían deshecho de ella, por fortuna— y se vistió. Se quitó el vendaje y salió al pasillo. Estaba desierto. Fue recorriéndolo ágilmente con el celular en la mano, vigilando cada vez que pasaba junto a una puerta. Cuando llegó al mostrador donde debían estar las enfermeras, no vio a nadie.

«¿Qué está sucediendo aquí?», se preguntó Castillo.

Pulsó el botón del ascensor y entró con rapidez cuando

este abrió las puertas. En cuanto se quedó sola, marcó el número de Goya. No tuvo respuesta. Probó con la estación de Policía.

Las puertas del ascensor se abrieron al llegar a la planta baja. En el recibidor había pequeños grupos de gente en corrillos. Salió y se quedó un instante hablando.

—Karina, buenos días. Soy Aneth. Sí, estoy bien. Solo quería saber si el jefe Goya está ahí. ¿No? ¿Y Vélez? ¿Tampoco? Muchas gracias.

«Goya, Matías, ¿dónde se han metido?», pensó la inspectora.

Comenzó a caminar con disimulo entre la gente, aunque sabía que con su atuendo no pasaba desapercibida. Algunos la observaron con curiosidad.

Los ignoró y tecleó esta vez el número de Márquez. Nada, nuevamente el mensaje de «fuera de cobertura».

«Piensa, Aneth, piensa», se reprochó. Ya estaba llegando a la puerta de salida.

Entonces recordó a Alejandro Correa. El comandante Sotomayor le dijo que este confiaba solo en dos personas: ella y Goya.

—Goya, si estás trabajando en el caso, ahí tienes algo para hacer —dijo en voz alta.

Le escribió un mensaje a su antiguo compañero con el contacto del Macaco.

«Alejandro Correa puede tener información sobre el incendio. Llámalo».

Pulsó enviar y luego se quedó pensando. Añadió otra frase.

«Respecto al secuestro, hoy a las cinco liberan a Gabriela. Han pedido que la recoja su madre, Salomé. No te preocupes, Vélez está pendiente».

Envió también el mensaje y suspiró con alivio. Cuando

alzó la vista del celular se quedó un instante detenida. Al otro lado de la puerta de salida dos hombres hablaban. Uno de ellos era el médico que le puso la inyección.

Oyó cómo el otro se despedía.

—Bueno, Mejía, tengo que irme. Intenta terminar pronto que Sotomayor te reclama en la estación en cuanto puedas.

Aneth intentó controlar el pánico.

¿Sotomayor? ¿Mejía? ¿Aquel hombre era el médico forense que habían enviado para reemplazar a Oliver Márquez?

Intentó dar media vuelta para esconderse, pero el médico ya se había despedido de su interlocutor y la descubrió en la puerta.

—Inspectora Castillo, qué sorpresa. Creí que la había dejado durmiendo.

Aneth intentó retroceder, pero el brazo de hierro de Mejía la retuvo.

—Me temo que no puedo darle el alta, inspectora.

Ella supo, por su tono, que esta vez no sería una simple inyección tranquilizante.

28

Hilario Cota detestaba a la gente que hacía difícil lo sencillo. Cuando regresó a la comisaría con sus sospechas sobre
Valentina Cárdenas, el comandante Carlos Sotomayor lo
había apoyado. Cursaron al juez una orden de detención y ahí
seguían, a las tres de la tarde, esperando todavía que esta les
llegase.

—Señor, vuelva a llamar.

—Inspector, siéntese un momento y deje al juez tranquilo.
No vamos a obtener nada con impaciencias. Serénese.

Este gruñó y se fue a la máquina dispensadora de sándwiches para sacar una hamburguesa. El malhumor se le iría un
poco con comida en el estómago.

Sonó el teléfono en el despacho del comandante y Cota lo
oyó desde la sala en la que se había sentado para almorzar.
Tiró la hamburguesa recién mordisqueada a la papelera y
llegó jadeante al despacho. La puerta estaba abierta y entró
sin ceremonias. Al fin y al cabo, llevaba haciéndolo media
mañana.

—¿Por fin nos autorizan el registro?

Sotomayor aún estaba al teléfono y asentía a las palabras que le decía la persona al otro lado de la línea.

Finalmente colgó y enfrentó la mirada ansiosa del inspector.

—Era una llamada del San Pedro Claver. Tenemos novedades acerca del incendio. Busca a Vélez y llámalo para que venga a oírlas también.

Cota disimuló su decepción y fue en busca de su compañero. No lo vio en su mesa y pensó que quizá estaba en el sanitario. Acudió allí y voceó su nombre. Nadie respondió.

Regresó a la sala.

—¿Alguien sabe dónde está el inspector Vélez? ¿Karina?

La secretaria negó con un gesto.

—Aneth llamó hace una hora preguntando por él y ya no estaba. Quizá se fue a almorzar.

Una compañera intervino.

—Esta mañana estaba en el despacho del jefe Goya, trabajando. A lo mejor lo encuentras allí.

—¿Y qué carajo hacía en su despacho?

La otra se encogió de hombros.

—A lo mejor quería privacidad. Estuvo hablando con la mujer de Dionisio Santos.

—¿Salomé Santos estuvo aquí? ¿Por qué nadie me dijo nada? ¡Estoy llevando su caso!

Karina intentó contener el enfado del policía.

—No preguntó por ti. Había quedado con la inspectora Castillo, y cuando le dijimos que no estaba preguntó por el inspector Vélez.

—Además —intervino la otra—, tú no estabas en la estación en ese momento.

Hilario gruñó. Sabía que tenían razón, pero volvieron a recordarle que llevaba horas esperando la orden del juez.

—Está bien, lo siento. Entonces, ¿nadie sabe dónde está Vélez?

Las otras se encogieron de hombros.

Cota resopló y se dirigió al despacho de Goya. Abrió la puerta y lo encontró vacío.

Sacó su celular y marcó el número de Vélez. Sonaron varios tonos pero nadie descolgó al otro lado.

—¿Para qué sirven los celulares si nadie responde? —demandó en voz alta.

Cabizbajo, regresó al despacho del comandante.

—Lo siento, señor. No lo encuentro.

—Bueno, tranquilícese. Estará almorzando.

Hilario recordó la hamburguesa que botó. Regresó su enfado.

—Señor, ¿usted sabía que Salomé Santos estuvo aquí esta mañana?

Este lo miró, sorprendido.

—Sí, por supuesto. Estuvo hablando con el inspector Vélez. ¿Sucede algo?

—No me ha comentado nada al respecto. —El tono de Cota era acusatorio.

—No había nada que compartir. —Sotomayor se encogió de hombros—. Matías me resumió de lo que hablaron. La señora Santos estaba nerviosa por el secuestro y venía a saber cómo había avanzado la investigación.

—Qué extraño.

—No le entiendo, Cota. Escúpalo de una vez.

—Pues que si solo deseaba saber los avances, no entiendo por qué no llamó por teléfono y pidió hablar con usted, por ejemplo. Pero salir de su barrio, venir hasta aquí…

Sotomayor lo contempló.

—No pretendo introducirme en la cabeza de ella. Quizá salió a hacer un recado y aprovechó para pasar por aquí.

Puede que le diera confianza hablar con uno de los inspectores que la visitaron ayer. De hecho, preguntó por Castillo.

—No fue una visita «de paso». Había quedado con Aneth.

—¿Cómo?

—Lo que acabo de decirle. Karina me dijo que Salomé Santos vino porque estaba citada con Castillo. Por ese motivo me parece curiosa la situación.

Ahora fue el turno del comandante de fruncir el ceño.

—¿Ocurre algo, señor? —Cota se percató del gesto.

—Vélez…

—¿Sí?

—Fue él quien me dijo que había venido sin avisar. Lo estoy recordando ahora.

Ambos hombres se miraron un instante.

—Estoy seguro de que existe una explicación. —Sotomayor se restregó los ojos—. El inspector Vélez vino recomendado de su ciudad, Becerrilla. Pedimos ex profeso una persona especializada en secuestros.

—Precisamente en secuestros. Luego no había otra persona a la que pudieran enviar.

—¿Qué está sugiriendo, Cota?

Hilario tomó asiento y contempló a su superior.

—No lo sé, señor. Estoy pensando en alto. La verdad es que creo que me estoy obsesionando con este tema. Ojalá llegue esa orden cuanto antes.

Se pasó una mano por el pelo y luego volvió a mirar al comandante.

—Creo que iba a contarme algo del San Pedro Claver.

Sotomayor parecía renuente a dejar el tema de Vélez, pero terminó claudicando. Ya estaban viendo fantasmas en cualquier esquina.

—Sí, cierre la puerta y le explico.

Hilario hizo como le había pedido y volvió a tomar asiento. El comandante echó una ojeada a las notas que había ido tomando a lo largo de la conversación telefónica y luego alzó la vista hacia Cota.

—He recibido los informes médicos de las víctimas del incendio. Me han comentado que les resultaban llamativos los altos índices de monóxido de carbono de los fallecidos.

—¿Eso no es habitual? —El inspector cerró los ojos como haciendo un esfuerzo por recordar—. Cuando Mejía y yo estuvimos en la zona, los *favoritos* afectados tosían y vomitaban como en cualquier incendio. Quiero decir, el humo siempre causa más bajas, debido a la asfixia, que el propio fuego. En cuanto al monóxido de carbono…

—¿Sí?

—Tendría que haber visto aquellas viviendas. Allí se concentraba una gran cantidad de plásticos, neumáticos viejos… Eso es muy tóxico.

—Entonces, usted sugiere que los índices por encima de lo habitual se deben al material del que estaban hechas las casas de la gente de La Favorita.

Cota asintió.

—No soy un experto en la materia, pero diría que pudo influir.

Sotomayor lanzó un juramento.

—Otra pista que se nos escapa.

Hilario se interesó:

—¿Estaba siguiendo alguna sospecha, señor?

Este lo miró fijo a los ojos.

—Pues sí. Alguien nos había insinuado que se intentó envenenar a los *favoritos*.

La puerta se abrió de repente. El comandante Sotomayor y el inspector Cota se quedaron detenidos por la sorpresa de ver aparecer a aquellas tres personas en el umbral del despacho. Una de ellas les devolvió la mirada y dijo:

—Ese alguien tenía razón. Y tenemos las pruebas.

29

Oliver Márquez contempló su celular por enésima vez y, después, lo volvió a dejar sobre la mesa. No debía encenderlo. Si lo hacía, caería en la tentación de devolver las llamadas que le hubieran hecho.

—¿Y si nadie se ha preocupado por mí? —Pronunció la frase en voz alta con un cierto tono de autocompasión.

Tampoco les había dejado muchas pistas a sus amigos. Recordó con rencor cómo el comandante Sotomayor no intentó detenerlo cuando le dijo que debía ausentarse por motivos personales. Quizá a otra persona le hubiera interrogado más a fondo, hubiera querido saber qué sucedía. Le constaba el desvelo que había tenido con la inspectora Castillo, acogiéndola en la pensión de su suegra, ayudándola a aclimatarse a la capital.

Goya sí se habría interesado por él. Era un sabueso, un hombre de la vieja escuela. Conocía al género humano porque lo había palpado en las calles, día a día. Sotomayor llevaba demasiado tiempo detrás de una mesa.

Puede que estuviera siendo injusto, lo más probable es que

así fuera. Pero eso es lo que le decidió a escribir a Aneth Castillo en lugar de a su superior. «No desaparezco por gusto», le había puesto en el mensaje de texto que le envió, ocultando el remitente. Era una mujer lista, averiguaría tarde o temprano de quién procedía. Y entonces podría tirar del hilo hasta descubrir la verdad.

Mientras, aquellas horas transcurridas se le hicieron eternas.

«Desaparece. Lárgate o…». Sabía que no era una amenaza gratuita, y no podía permitir que les hicieran daño a sus seres queridos. Pero alguien le quería fuera de Sancaré por algún motivo y eso hacía rebelarse a todas sus células.

Eligió como lugar de destierro la casa de sus abuelos, en un pequeño pueblo de las afueras. No la había habitado nadie en años. La primera noche no dejó de estornudar a causa del polvo acumulado. Ahora que había hecho limpieza era algo más soportable.

Volvió a mirar el reloj de pulsera y, de nuevo, al celular. ¿Cuántos días debía permanecer alejado? Ellos le dijeron que se lo harían saber. Mientras, debía aislarse de todo y de todos. Pero no podía renunciar al contacto con el mundo exterior. En la casa había una vieja radio que captaba los canales con dificultad porque la antena estaba rota desde hacía años. La sintonizó y escuchó, con preocupación, las noticias del incendio en La Favorita. ¿Aquello estaba relacionado con su alejamiento? Ahora sospechaba de cualquier cosa.

La una. Debería comer pero no sentía apetito. Tenía instalado un nudo en el estómago. Aquellos miserables se habían atrevido a amenazar a sus padres. Eran dos personas ya mayores que vivían retiradas del desorden de Sancaré, en un pueblo parecido al que había acudido Márquez en ese momento.

Aún recordaba las fotos que le enviaron. Los habían

seguido a ambos —su madre, su padre— en su recorrido habitual diario. Fue estudiando cada cartulina y se cuestionó quién podría estar detrás de aquello. Debía de tener medios y dinero. Sobre todo, mucho dinero. Había instantáneas de todos los momentos del día, en la compra, la partida de cartas que se echaba cada uno de ellos con sus respectivos amigos, a las cinco de la tarde o a las nueve de la noche. Era como estar viviendo una película de terror o un *thriller* de espías. Pero eso no le podía estar sucediendo a él, que nunca había dado de qué hablar, que siempre cumplió con mucho escrúpulo su trabajo.

¿Qué querían de él exactamente? No lo sabía y toda su genética, puesta al servicio de la ley, le apelaba para que intentara averiguarlo. Pero él no se sentía tan valiente. Acudió, de hecho, a la casa de sus abuelos, en un lugar tan recóndito y abandonado —era un pueblo de apenas cincuenta y siete habitantes según el último censo— que no podrían reprocharle que alguien fuera a buscarlo. Había evitado con todo propósito ir a la casa de sus padres, pese a que desde que vio aquellas fotografías violando su intimidad no conseguía conciliar el sueño, pensando que algún maníaco les podría hacer daño. Pero eso no iba a suceder, no ocurriría porque él cumplió su parte y se había escondido. Nadie podría sospechar su localización, salvo los viejos amigos y, por supuesto, los mismos que le ordenaron desaparecer. Si habían sido capaces de seguir a dos pobres ancianos, ¿qué medios no tendrían para localizarlo si lo deseaban?

En ese momento sonó el timbre de la puerta.

Ni siquiera sospechaba que todavía funcionase. El sonido reverberó en los anchos pasillos de la casa y subió por la escalera hasta su dormitorio, donde estaba.

Se levantó de la silla. ¿Quién sería? Si fuera un vecino

llamaría aporreando a la puerta, pues nadie creería que aquel timbre sirviera.

Mientras dudaba, volvió a oírse otro timbrazo.

¿Serían ellos? No lo creía, pero suponía que, de algún modo, tendrían que avisarle de que su exilio había finalizado. Apenas veinticuatro horas y se le hicieron eternas.

El timbre sonó una tercera vez, acompañado de golpes en la puerta. Y una voz que conocía muy bien. Esta vez salió corriendo del dormitorio y se abalanzó escaleras abajo. Cuando llegó a la puerta de entrada seguían sonando los golpes en la puerta.

—¡Márquez! ¡Sé que estás ahí! ¡Ábreme, carajo!

Obedeció y el hombre al otro lado casi se precipitó al interior con el brazo en alto.

—¡Ya era hora!

Oliver lo contempló como quien se reencuentra con un fantasma.

—¡Jefe Goya! ¿Pero usted no estaba en… en? —balbuceó.

—Ya lo ves que no.

Dio un paso hacia el interior.

—Y ahora mismo me vas a contar qué haces aquí escondido en vez de estar en tu puesto.

Márquez compuso una expresión de horror.

—No te preocupes, Oliver —dijo Goya—. Comprendo por lo que has pasado. Pero ahora te necesito. Te necesitamos. Ven conmigo y te cuento por el camino. Tengo el coche afuera.

El médico no supo cómo negarse.

30

Sotomayor y Cota observaban con incredulidad a los tres hombres que estaban en la puerta del despacho. Goya era el que acababa de soltar aquella frase lapidaria: «Tenemos las pruebas», y les contemplaba con desafío. A su derecha estaba Oliver Márquez, a quien Sotomayor concedió un permiso *sine die* veinticuatro horas atrás. Y a la izquierda un joven de unos treinta años, con cazadora de cuero y pantalones vaqueros desgastados, que los miraba con suficiencia. Habían contemplado aquel rostro demasiadas veces en los carteles de la comisaría como para no atribuirle nombre. Nada más y nada menos que Alejandro Correa, apodado el Macaco.

Si hubieran aparecido tres hombrecillos verdes con antenas no les hubiera generado más sorpresa y confusión que aquel extraño trío.

—¡Goya! —Sotomayor le encaró con cierto tono de regañina—. ¿No te habrás escapado de…? —No finalizó la pregunta.

—Me han dado el alta, señor. Pero eso no es lo importante ahora.

—Tienes muchas explicaciones que darme. Comenzando por la compañía que traes. —Señaló primero a Correa, que le miraba impasible, y después a Márquez.

—Eso puede esperar, señor. Hay algo que tenemos que compartirle. ¿Podemos pasar?

Este asintió y el grupo avanzó al interior del despacho. Goya cerró la puerta.

—¿Y bien? ¿Qué decías de unas pruebas?

Alejandro Correa pareció perder la paciencia e intervino.

—Estamos perdiendo el tiempo mientras el culpable se escapa. Les dije que habían envenenado a mi gente y he conseguido la prueba.

Sotomayor hizo caso omiso de la descortesía y lo encaró:

—Hemos recibido los informes de toxicidad del hospital San Pedro Claver. No hay nada sospechoso. Asfixia por una exposición prolongada al monóxido de carbono.

—El informe está incompleto. —El que habló fue Oliver Márquez—. Acabamos de estar en el Claver y he revisado los análisis del laboratorio. El monóxido de carbono no es el único gas que aparece en ellos.

—Adelante —animó el comandante—. Prosigue.

—No sé muy bien cómo lo han hecho, pero han manipulado el informe final y han omitido la existencia de este gas: cloruro de carbono. La exposición prolongada al mismo puede ser letal.

Cota se interesó.

—¿Y cómo ha podido llegar ese gas al lugar del incendio?

Goya y Márquez posaron sus ojos al mismo tiempo en Alejandro Correa. Este retomó la palabra.

—Extintores.

—¿Cómo? —El comandante creyó haber oído mal.

—Fue a través de los extintores. Los mismos con los que creían estar apagando el fuego. No eran extintores corrientes.

Goya intervino.

—Correa nos ha dicho que, al iniciarse el incendio, un *noveno* llegó en una camioneta cargada de extintores, como caído del cielo. Los repartió entre los *favoritos*. Lógicamente, dadas las circunstancias y quién se los traía, los recibieron como maná del cielo. En poco tiempo estaban diseminados por todo el barrio.

—No eran los extintores habituales —indicó Márquez—. Alejandro… —Le señaló al tiempo que hablaba—… nos consiguió uno para examinarlo. Son amarillos, un modelo antiguo. Se retiraron hace muchos años y se prohibió su venta precisamente por su alto nivel de toxicidad. Usaban tetracloruro de carbono, que es un agente extintor muy eficaz por la liberación de fosgeno, pero también peligroso para las personas.

Cota intervino:

—Es extraño. Estuvimos investigando la zona, tampoco nos adentramos mucho, pero no vimos ningún extintor amarillo. Lo recordaría.

Goya fue el que le respondió:

—Una vez que liberaron el gas, los recogieron de nuevo para no dejar pruebas.

—¿Entonces? —Sotomayor miraba a Alejandro Correa mientras hablaba.

—Sí, señor. Esa es la prueba que pedí que la inspectora investigase. No sabía que esa gente iba a intentar atentar contra ella.

—Hablamos de varias personas involucradas, por lo que veo —indicó el comandante.

—Al menos dos —contabilizó Goya—. Dos hombres que, además, estaban en La Favorita aquella noche, uno de los cuales atacó a la inspectora Castillo. El otro, por lo que me ha contado Alejandro, la salvó de su ataque, pero también era cómplice.

El comandante Carlos Sotomayor guardó silencio unos instantes. Reflexionaba sobre todos los datos aportados.

—Hay algo que no entiendo —dijo finalmente—. ¿Por qué usted —señaló a Márquez— se ha ido y ahora vuelve con todo esto? ¿Se puede saber dónde se había metido?

Goya y Márquez se observaron mutuamente. Parecían haber discutido sobre ese asunto con anterioridad.

—Me amenazaron —confesó—. En estos momentos mi familia corre un grave peligro por el solo hecho de que yo esté aquí. Ellos me dejaron muy claro que debía desaparecer.

Sotomayor abrió los ojos con desmesura.

—¿Ellos? ¿Quiénes son ellos?

Márquez se encogió de hombros.

—No lo sé. Pero me prohibieron regresar hasta nueva orden. Estoy aquí solo porque Goya fue a buscarme al lugar en el que me refugié.

Este confirmó sus palabras.

—A mí no quiso contarme esto. Dijo que se lo revelaría a usted cuando llegara el momento.

—Entonces —Sotomayor se impacientaba—. ¿Cómo se le ocurrió ir a buscarlo, Goya? ¿Por qué intuyó que algo no estaba bien?

El inspector veterano lanzó un hondo suspiro.

—No fui yo. Fue Aneth la que me puso sobre la pista.

—¿La inspectora Castillo?

Este confirmó con un gesto.

—Me llamó en la mañana para pedirme que localizara a Márquez. Cuando me dieron el recado pedí el alta y me puse a la tarea. Conozco bien a Oliver —lo miró y este le devolvió el gesto— e intuí dónde debía estar.

»Luego me envió un mensaje con el contacto de Correa.

Por eso él está aquí. Aneth me dijo que tenía información importante para la investigación, pero no había querido compartirla con nadie que no fuéramos ella o yo.

Sotomayor se reclinó en el asiento.

—Mucho me temo que así es. Si la inspectora está ahora en el hospital se debe principalmente a haber seguido las instrucciones del Macaco —le dirigió una mirada acusatoria al interpelado.

—Lo lamento mucho, señor. —Endureció el gesto—. Nunca fue mi intención ponerla en peligro. Esos hombres son peligrosos y por ese motivo me estoy arriesgando yo ahora. Quiero ayudar a detenerlos.

Sonó el teléfono en la mesa del comandante, sobresaltando por un instante a los presentes. Este descolgó, escuchó el recado al otro lado y fijó la mirada en Hilario Cota.

—Era el juez. Ya tiene usted vía libre.

Cota se levantó de la silla de inmediato.

—Voy a detener a esa mujer. Espero que no sea tarde para la niña.

Goya contempló a ambos de hito en hito.

—¿Están hablando de la hija de Dionisio Santos?

—Sí, Goya. —Sotomayor levantó el dedo índice hacia Hilario Cota—. Hay una buena pista acerca de su secuestradora.

—No lo entiendo —insistió este.

—¿Qué sucede, jefe Goya? —Cota lo miró.

Este se estaba palpando los bolsillos de la chaqueta. Finalmente sacó su celular.

—A las dos recibí un mensaje de Aneth Castillo. Además de pedirme que buscara a Correa, me contaba la buena noticia de que iban a liberar a la niña. Han contactado con Salomé para que vaya a las cinco al distrito de Olivares. Vélez la acompaña.

—¡Vélez! —Hilario casi escupió su nombre—. Lleva desaparecido todo el día.

—Ahora sabemos dónde está. —Goya observó al comandante—. ¿A usted no le dijo nada?

—No, al contrario. Salomé Santos estuvo aquí en la mañana y él me dijo que había sido una visita no prevista, solo para hacer un seguimiento de las investigaciones.

—En realidad quedó con Castillo. —Cota estaba rabioso—. La señora Santos, quiero decir.

—No comprendo qué sucede. ¿Lo estás acusando de algo, Hilario? —Goya fijó su mirada en él.

—Ojalá pudiera tener pruebas. Pero es solo una sospecha. No puedo entender por qué no dijo lo que realmente hablaron la madre de la niña y él. Y luego desaparece sin avisar, no responde a su celular…

Sotomayor los interrumpió.

—Inspectores, son las cuatro de la tarde. Habría que intentar localizar a Vélez y saber sus motivos. Dentro de poco van a liberar a la niña y tendríamos que estar allí.

—Salomé puede correr peligro —afirmó Goya—. Eso también me lo indicó Castillo. Creo que por ese motivo puede haberla acompañado a la cita con la secuestradora.

—Bien, entonces no nos entretengamos más. Cota, aproveche esa orden de registro. Voy a llamar a Vélez para intentar saber qué sucede y lo tengo al tanto.

Hilario no esperó una segunda indicación. Abandonó el despacho a toda velocidad.

Sotomayor marcó un número y esperó unos momentos. Finalmente, colgó.

—No responde —dijo—. ¿Alguna idea?

—Otra sospecha, en realidad —intervino Oliver Márquez—. Espero que entre los presentes podamos analizarla.

Y comenzó a hablar.

31

VALENTINA NO PODÍA ENTENDER cómo pudo ocurrir. Gabriela se había escapado. Cuando subió para comprobar que seguía bien encontró la habitación vacía.

No había más lugar para esconderse que debajo de la cama, o eso creyó ella. Cuando entró y vio que la niña no estaba, su primer impulso fue ponerse de rodillas para revisar. Gabriela debió de estar oculta detrás de la puerta porque en el resto de la habitación no estaba.

Había sido un fallo de principiante no comprobar primero aquel sitio, pero si la niña estuvo ahí se deslizó sin hacer ruido.

«No le ha dado tiempo de irse», pensó Valentina. «Voy a encontrarla».

Pero cuando inició la búsqueda por la casa no tuvo éxito. Ni siquiera cuando comenzó a pedirle que saliera, diciendo que iba a liberarla y a llevarla con su madre. Como era lógico, la niña no salió de su escondite. ¿Por qué iba a creerle?

Conforme pasaba el tiempo Valentina sentía crecer el nerviosismo. Debía salir a cumplir su otro encargo. Y, además, aquel inspector podía llegar en cualquier momento. Lo extraño era que no lo tuviera ya allí. Si la niña huía tampoco podría detenerla en sus planes. No sabía dónde había quedado con la madre. Nadie lo sabía. Esa era su ventaja.

Se convenció finalmente y dejó la búsqueda. Eran las dos de la tarde. Iba a tomar la maleta y hacer su trabajo. Como lo pensó, lo ejecutó. Recogió sus cosas preparadas en el armario del vestíbulo y cerró con doble llave al salir.

Así encontró la casa Cota cuando acudió con dos agentes. Hilario pulsó el timbre varias veces y llamó a la señorita Cárdenas. Por último echaron la puerta abajo.

Entre los tres peinaron la casa de arriba abajo. La puerta pequeña que tanto había obsesionado a Cota conducía, en efecto, a un pequeño sótano. No había nada allí, pero eso no lo desalentó.

—¿La encuentran? —les preguntó a los otros agentes—. ¿Se ha ido?

—No parece que falte nada. —Uno de los policías había encontrado el dormitorio principal y revisado el armario. La ropa de Valentina seguía allí colgada. La ausencia de las cuatro prendas que la mujer se llevó no era notoria.

—No veo ningún cepillo de dientes en el baño —dijo el otro—. Puede que no sea importante, pero me cuesta creer que no se lave los dientes a diario.

—Pues si se ha marchado, se ha dejado casi todo —le enfrentó el otro.

—Dejen de discutir. —Hilario estaba observando algo en el piso de abajo. Una de las vitrinas estaba vacía. Él recordaba haberse fijado en ella esta mañana—: Se ha ido —afirmó con seguridad.

Sus compañeros bajaron a reunirse con él.

—¿Por qué estás tan seguro?

—Se ha llevado la vajilla china. Nadie se toma la molestia

de vaciar este armario si no es porque pretende irse. Quizá la delataba de alguna forma.

—¿Qué hacemos?

El inspector Cota se llevó una mano a la cabeza para mesarse el cabello.

—Empiecen a preguntar a los vecinos.

Los dos salieron de la casa e Hilario llamó al comandante Sotomayor para indicarle que Valentina Cárdenas había huido.

32

Oliver Márquez compartió sus sospechas con los allí presentes en el despacho: el comandante Sotomayor, el inspector Goya y Alejandro Correa.

—Los que me amenazaron para que me alejara tenían mucho interés en que dejase claro que era sin fecha de regreso. Me pregunto por qué.

Goya le observó:

—Diría que su pretensión era que no hicieras tu trabajo. Los informes médicos estaban incompletos. Puede que creyeran que, si seguías en tu puesto, descubrirías que se habían falseado, como así ha sucedido.

—¿Y cómo han podido acceder a ellos?

El comandante Sotomayor se levantó de su asiento.

—Me parece que tengo la respuesta. Probablemente haya sido tu sustituto: Felipe Mejía.

—¿Me han sustituido? —La voz de Márquez sonó acusatoria.

—Es evidente que sí, Oliver. Me dijiste que no sabías si regresarías. No podía permanecer sin médico forense.

—Está bien, calmémonos —apaciguó Goya—. ¿Quién es ese Mejía?

—Me lo recomendaron. Trabaja en otra comisaría de Sancaré. De hecho, vino antes de lo previsto debido al incendio.

—El incendio… —repitió Márquez en voz alta—. Entonces, él puede haber manipulado los datos.

—¿Dónde está Mejía?

—Esa es una buena pregunta. Hace un par de horas le pedí que viniese a la estación de Policía y aún no ha aparecido. Esperen un momento.

Habló por el intercomunicador y le pidió a su secretaria que llamara a uno de los agentes. Este apareció enseguida. Llamó a la puerta y entró.

—¿Me llamaba, señor?

—Pase y cierre la puerta. Esta mañana le pedí que localizase a Mejía, ¿tuvo éxito?

—Sí. —Contemplaba sorprendido a las otras tres personas en el despacho—. Lo encontré en el Santa Inés. Dijo que estaba haciendo nuevas pruebas sobre los afectados allí, que tenían un laboratorio mejor.

—¿Santa Inés?

—Sí.

—¿Y eso cuando fue? ¿Cuándo lo vio?

—Diría que sobre las tres.

El comandante Sotomayor despidió al agente, que cerró la puerta al salir.

—¿Sucede algo? —Goya se preocupó al ver el gesto de su superior.

—La inspectora Castillo está ingresada en ese hospital.

—¡Dios mío! —La exclamación era de Márquez.

Goya soltó un juramento.

—Voy para allá.

—Lo acompaño —dijo Correa, que había escuchado todo en silencio.

El comandante Sotomayor intervino.

—Macaco, no puedo dejar que te vayas.

El jefe Goya interrumpió.

—Ha venido a colaborar. No vamos a detenerlo.

—No es eso —dijo el comandante y señaló con un dedo a Correa—. Este chico quiere venganza para su gente. No sé cómo actuará si descubres que Mejía está implicado. Se quedará aquí hasta que sepas exactamente lo que sucede.

—Lo que sucede es que Aneth corre grave peligro. No me entretengo más. Puede que ya sea demasiado tarde.

—Ve con él, Márquez —indicó Sotomayor.

Cuando salieron del despacho el comandante le ofreció asiento a Alejandro Correa.

—Sé que estás furioso, pero puedes seguir ayudándonos de otra manera.

—Lo escucho. —Estaba preocupado por Meri, a la que había enviado a visitar a la inspectora para ver si se encontraba bien.

Sotomayor le hablaba.

—¿Alguien podría identificar a los dos hombres que siguieron a Aneth anoche? Si te paso unas fotografías, ¿podrías preguntar?

Correa afirmó con un gesto. Su lugarteniente Chedes podría hacer ese trabajo.

—Puedo enviar las imágenes por el celular a una persona de mi confianza.

—Entonces, vamos a intentar confirmar la identidad de los culpables.

Volvió a usar el intercomunicador y Karina apareció en la puerta al instante.

—Karina, tráeme los expedientes de Felipe Mejía y Matías Vélez.

Esta asintió.

—¿Matías Vélez no es el que está escoltando a la madre de la secuestrada? —Alejandro había puesto el oído a la conversación anterior.

—Sí. Y también llegó de improviso, como Mejía. Puede ser o no una casualidad. Pero estoy dejando de creer en las coincidencias.

33

AMÉRICA HERRERA HABÍA RECIBIDO el mensaje de Alejandro y no vaciló en acudir al Santa Inés. Estaba preocupada por la inspectora Castillo. La noche anterior le proporcionó aquella ropa para internarse en La Favorita —incluso le enseñó algunos «trucos» para comportarse como una mujer de ese barrio—, pero se había quedado inquieta cuando la dejó. A pesar de la valentía que Aneth exhibió, América sabía que no le serviría de mucho en un lugar tan peligroso.

Alejandro le contó lo sucedido. Ella se había preocupado y quiso ir enseguida, pero Correa insistió en que no era urgente. Estaba bien atendida y él solo quería saber el alcance de su lesión y comprobar cómo evolucionaba. Se sentía culpable. Pero ella no debía faltar al trabajo.

—Meri, no sé cómo agradecerte todo lo que haces —le había dicho.

América guardó silencio al otro lado de la línea unos instantes.

—Lo que haga falta por un amigo, Alejandro.

Sabía que ese comentario le había dolido, pero estaba

cansada de la situación. Hacía semanas que no iba a verla. Cada vez espaciaba más sus encuentros, e imaginaba los motivos. Pero era demasiado tarde para ambos, ya estaban enamorados. Era algo imposible, lo sabía. Y le arrebataba el coraje por intentar apagar aquel sentimiento. Pero ella no sabía cómo olvidarlo. Ojalá pudiera hacerlo algún día.

Fue al Santa Inés después de almorzar. Ya eran casi las tres cuando llegó al hospital. Preguntó por la inspectora Aneth Castillo y le indicaron el número de habitación.

Cuando llegó a la planta le sorprendió el silencio del pasillo. Alguien se asomó por una de las puertas al oír sus pisadas. Era una mujer mayor.

—Disculpe —le dijo—. Creí que era la enfermera. Hace un rato que la hemos llamado y no acude. No me atrevo a dejar sola a mi madre para ir a buscarla.

—Iré a ver —se ofreció América.

En el control no había nadie.

—¿Hola? ¿Alguien puede ayudarme? —Nadie respondió.

Detrás del mostrador se veía la puerta de entrada a la sala del personal. Rodeó la mesa y llamó con varios toques.

—¿Puede salir alguien?

Tampoco hubo respuesta. Se atrevió a abrir la puerta y descubrió a una mujer con el uniforme de enfermera tendida en el suelo.

—¡Dios mío! —Se arrodilló a su lado y le tomó el pulso. Parecía que se había desmayado, pero no reaccionaba a su llamada.

Se levantó y regresó por el pasillo hasta la habitación de la que había salido la mujer mayor.

—¿Puede pedir ayuda? La enfermera está inconsciente. Llame por el celular al hospital, le contestarán de recepción, abajo.

Sin darle tiempo a responder, buscó a toda prisa la habitación de Aneth. Tenía un mal presentimiento.

Cuando abrió la puerta vio a su amiga sobre la cama, con la misma ropa que ella le había dejado, y a un médico junto a ella.

—Disculpe por la interrupción. Venía a ver a mi amiga.

El doctor se volvió hacia ella, llevaba una jeringuilla en la mano.

—Acabo de administrarle un sedante. Es muy tozuda y quería irse antes de recuperarse del todo.

—¿Por eso está vestida? —América se acercó hacia la cama.

—En efecto. Me la encontré justo en la puerta de salida. Me ha costado bastante convencerla de que debía regresar a su cuarto.

—¿Por qué respira así?

América había llegado hasta la cabecera de la cama, y oía la respiración jadeante de la inspectora. Observó al médico y no le gustó su expresión. Recordó a la enfermera inconsciente.

—Voy a avisar a alguien —dijo retrocediendo.

—¿A quién? —El doctor le sonrió, pero no era una sonrisa amable.

—A… a una enfermera.

—Puede llamar desde este botón, pero le aseguro que su amiga se encuentra bien.

América dudó. Debía seguirle la corriente para que no sospechase, pero apretar el botón significaba acercarse de nuevo a él.

—Tardaré menos si voy a buscarla.

—Está bien.

La joven respiró aliviada, dio media vuelta y salió a toda prisa de la habitación. En el pasillo se encontró con alguien inesperado. Venía acompañado de otro hombre.

—¡Inspector Goya!

Este pareció tardar un poco en reconocerla.

—América Herrera, era amiga de infancia de la Diva Rosales.

—Sí, es cierto. Disculpe, pero vengo con prisa. Necesito localizar a la inspectora Castillo.

—Precisamente vengo de su cuarto. Está con un médico…

—¿Un médico? ¿Cómo se llama? —inquirió el hombre que lo acompañaba.

—No lo sé. Pero no me ha dado buena sensación.

—Espero que no lleguemos demasiado tarde —dijo Goya—. Acompáñenos a su habitación.

Ella los guio. Cuando entraron, solo estaba Aneth.

—Respira muy raro —indicó América—. Iba a buscar ayuda.

—Soy médico —se presentó el otro—. Mi nombre es Oliver Márquez. ¿No sabrá si el otro doctor le ha hecho algo?

—Tenía una jeringuilla en la mano.

Márquez le tomó el pulso a Castillo y le abrió los párpados cerrados para observar las pupilas.

—Le ha intentado provocar un paro cardíaco. Pero creo que no ha llegado a inyectarle todo el contenido o hubiéramos llegado demasiado tarde. Voy a buscar algo para reanimarla.

Salió de la habitación. Regresó un minuto después con un recipiente y una jeringuilla.

—Hay una enfermera inconsciente en el suelo de la habitación del personal. No es grave, la han dormido. Pero hay que avisar a seguridad.

—Quédate con Aneth, voy a hacer lo que pueda. ¿América era su nombre? Acompáñeme, necesito que me ayude a reconocer a Mejía.

Salieron de nuevo al pasillo y tomaron el ascensor para ir a la planta baja.

—Probablemente le haya salvado la vida a la inspectora. —Goya la observó—. Ese hombre es implacable. Debió interrumpirlo cuando iba a terminar con ella. —América estaba nerviosa y se retorcía las manos—. Es una suerte que se le ocurriera visitarla. ¿Cómo supo que estaba aquí?

«A este hombre no se le escapa nada», pensó la joven.

—Un amigo me avisó. No sé si usted ha llegado a hablar con él. Me pidió conocer su nombre y el de la inspectora Castillo.

—¿Se refiere a Alejandro Correa? —ella asintió—. Sí, he estado con él. Ha sido de mucha ayuda. Estaba preocupado por el causante del incendio en La Favorita.

Las puertas del ascensor se abrieron.

—Hemos pasado juntos las dos últimas horas —añadió el inspector—. ¿Sucede algo? —El rostro de América había palidecido.

—Allí, ese hombre. Es él. No lleva bata, pero lo he reconocido.

Goya dirigió la mirada adonde le indicaba la muchacha con el brazo extendido. Se trataba de un hombre de mediana estatura, muy delgado y calvo. Había saludado con una sonrisa a la persona de la recepción y ahora se estaba dando media vuelta para caminar con parsimonia en dirección a la salida.

—Quédese aquí.

Goya se llevó la mano a la cartuchera de la pistola, debajo de su chaqueta. La sacó despacio y caminó con ligereza hacia el hombre. No estaba empuñando el arma, pero alguien vio la pistola y comenzó a gritar.

Mejía se dio media vuelta y el inspector le apuntó.

—¡Policía! ¡Deténgase!

Vio cómo este echaba un rápido vistazo alrededor, pero no había nadie cerca que pudiera tomar como rehén, y era suficientemente listo como para darse cuenta de que, si echaba a correr, el otro estaba a la distancia justa para alcanzarlo. Levantó los brazos.

—Estoy seguro de que se trata de un error —dijo cuando Goya se acercó sin dejar de apuntarle—. Yo también trabajo en la Policía.

—Lo sé. —Notó la sorpresa en el rostro del otro—. Pero hay unas cuantas cosas que debemos aclarar respecto a eso.

Felipe Mejía rio.

—Como desee. Pero dudo que pueda encontrar alguna prueba contra mí. Yo no he hecho nada.

—Claro. Lo que tú digas.

Sin dejar de apuntarle, sacó las esposas y se las colocó. Mientras lo hacía, le susurró al oído:

—Como le suceda algo a mi compañera, no querrás haber nacido.

El hombre volvió a reír.

SOTOMAYOR LE ENTREGÓ las fotografías a Alejandro Correa y le dio privacidad en una de las salas de visita, para hacer una llamada «a mi socio Chedes», como le dijo el Macaco.

Eran las cinco menos cuarto y su preocupación crecía según avanzaban las manecillas del reloj. Ni Salomé Santos ni Matías Vélez respondían a sus repetidos intentos de localizarlos en el celular. Incluso llegó a llamar a Dionisio Santos, con la esperanza de que ella hubiera usado al chofer y pudiera hablar con él. Solo logró alarmar al empresario.

—Este mediodía no estuvo en casa, pero dejó recado de que iba a comer con una amiga. Es la primera noticia que recibo de que los secuestradores la han contactado. ¿Por qué no me han llamado a mí?

El comandante se hacía exactamente la misma pregunta, pero no podía confirmar sus suposiciones hasta que Correa o Cota lo pusieran al tanto de sus respectivas pesquisas. Así que le colgó prometiéndole llamar con las novedades.

Sonó su celular y oyó la voz del inspector Hilario Cota al otro lado.

—La tenemos, señor.

—¿A la secuestradora? —Sotomayor se enardeció.

—No, a la niña.

—¿Cómo? Explíquese.

Hilario le puso al tanto de su llegada a la casa de Valentina Cárdenas con la orden de registro. La mujer había desaparecido casi sin dejar rastro. Sus compañeros estaban tomando huellas, pero no había pruebas de que ella hubiera retenido a la niña, salvo el testimonio de la propia Gabriela.

—La niña huyó de la casa. La hemos encontrado en una de las casas próximas cuando interrogábamos al vecindario acerca de la sospechosa. La chiquilla estaba en estado de choque y solo hablaba de la «horrible mujer». Ni siquiera ha dicho su nombre al vecino que la acogió, por eso sus padres aún no saben que está libre.

—¿Cómo se encuentra?

—Aparte del ataque de ansiedad y de un hematoma por la bofetada que le dio Valentina para que no llorase, bien.

—Qué desgraciada.

—Eso mismo dije yo, con otros calificativos. Lo importante es que hemos terminado con este caso.

—No, hasta que encontremos a la secuestradora. Y a Salomé Santos y al inspector Vélez, que supuestamente la acompaña.

—¿Aún no se sabe nada?

—Se los ha tragado la tierra. Y vamos contra reloj. Me pregunto qué hará la mujer si no tienen ya a la niña para entregarla a la madre. Lo lógico hubiera sido que anulasen el encuentro.

—A no ser… —comenzó a decir Cota.

—¿Qué?

—No dejo de darle vueltas, señor, al hecho de que contactasen con la madre y no con el empresario. Siempre hemos creído que podía tratarse de una extorsión debido al poder económico de Santos. Quizá nos estamos equivocando y siempre fue ella la destinataria.

—Puede tener sentido. Eso explicaría por qué Vélez se ofreció a acompañarla a su encuentro con la secuestradora.

—¿Sabemos algo sobre él? —inquirió Cota.

—El Macaco está tirando de sus contactos para identificar si él fue uno de los dos hombres que estuvo en La Favorita la noche que atacaron a Aneth Castillo. Estamos esperando su confirmación.

—Me apostaría la paga de un año a que es culpable.

Sotomayor sonrió.

—Voy a dejarlo, Cota. Quiero decirle personalmente a Dionisio Santos que su hija está libre.

—Estoy de regreso a la estación con la niña. Nos vemos enseguida.

—Perfecto.

El comandante silbó una melodía mientras marcaba el número personal del empresario. No le respondieron. Le grabó un breve mensaje en el buzón de voz y luego fue a la sala donde dejó a Alejandro Correa. Allí no había nadie.

—¿Dónde ha ido? —vociferó a sus agentes.

—Señor, me ha dejado una nota para usted —dijo Karina. Le tendió un papel—. Discúlpenos, no sabíamos que estaba detenido.

—No se disculpen, no han hecho nada malo. Solo quería hablar con él.

Regresó a su despacho, maldiciendo por lo bajo. Lamentaba la oportunidad perdida de haber atrapado a uno de los delincuentes más buscados, pero a Goya tampoco le hubiese hecho gracia saber que él había traicionado «el armisticio temporal» hecho con Correa. Quizá era mejor así. Desde luego, el Macaco debía de haber visto sus intenciones. No tenía nada de estúpido.

Cuando llegó a su despacho desplegó la nota. «Confirmado. Son ellos». Siseó entre dientes y llamó al inspector Goya.

VALENTINA ENTRÓ EN LA TIENDA. Al otro lado del mostrador estaba la persona que le había vendido los aparatos de musculación con los que se entrenó aquellas últimas semanas. Recordaba que el hombre le dijo que estaría dispuesto a comprárselos nuevamente y a pagarle en efectivo.

—Buenas tardes.

—Buenas tardes. —El hombre reconoció a Valentina. No era una mujer fácil de olvidar, pero, en ese caso, el hecho de que la policía hubiera estado preguntando por ella la hacía todavía más memorable.

—No sé si me recuerdas.

—Sí, por supuesto. ¿En qué puedo ayudarte? ¿Otra máquina?

Ella negó con un gesto.

—Al contrario, quería revenderlas, como te comenté.

—Entonces, ¿te vas?

El hombre lo preguntó intentando no parecer interesado, pero Valentina detectó una curiosidad que no le gustó.

—Solo necesito dinero —dijo, escueta—. Recordé que te ofreciste a adquirirlas. ¿Sigue en pie tu oferta?

El hombre dudó un instante. No quería perder la oportunidad, pero tampoco sabía si ella era realmente la mujer que buscaban.

—Por supuesto, te dije que las compraría a mitad de precio.

—Eso es suficiente. ¿Podrías pagarme ahora?

—Necesitaría ver en qué estado se encuentran.

—Están perfectamente. Como comprenderás, en tres semanas no me ha dado tiempo a estropearlas.

—De acuerdo, entonces esta tarde pasaré por tu casa para revisar los aparatos, ¿te parece?

—No va a ser posible. —Valentina sorprendió al hombre dejando un llavero sobre la mesa—. Te dejo las llaves de la casa y me entregas la mitad del dinero ahora, y la otra mitad cuando compruebes que están bien. ¿Qué opinas? Volveré mañana para cerrar el trato y que me devuelvas las llaves.

—¿Cómo tengo la garantía de que están allí?

La mujer estaba empezando a impacientarse.

—Envía a alguien. Con mis llaves. Esperaré a que vuelva.

—Está bien, déjame que haga una llamada. Voy a buscar a alguien que se acerque.

Era la oportunidad que el hombre estaba esperando. Entró en la trastienda y marcó el número que le dio el agente de Policía que pasó a interrogarlo aquella mañana.

—Buenas tardes, busco al inspector... —leyó la tarjeta— Hilario Cota.

La voz de mujer al otro lado le dijo:

—¿Hilario Cota? Sí, enseguida se pone al teléfono.

—Mire, solo quiero darle el aviso de que ahora mismo tengo en la tienda a la mujer que estaba buscando. Y las llaves de su casa.

Oyó la campanilla que sonaba cuando alguien abría la puerta.

Dejó el auricular a un lado y se asomó a la tienda. La mujer se había ido.

Volvió a tomar el teléfono en la mano.

—Olvídelo, acaba de irse. Con las llaves.

—¿Desea dejar algún recado?

—La mujer quería efectivo, sospecho que quiere irse de viaje.

—Muchas gracias por su cooperación.

De regreso al coche, Valentina estudió sus opciones. Ya no tenía sentido acudir a la cita con Salomé si había perdido a la niña. Sería una muerte gratuita. Desde el momento en que Gabriela huyó se había arruinado la reputación profesional de Valentina. Ya no le encargarían más trabajos después de lo que sucedió con esta, aunque quizá era así como tenía que suceder.

No sabía cuánto tiempo pasaría antes de que alguien localice a la niña y Gabriela la acusara de secuestro. No era algo a despreciar. Lo único positivo es que no le vio la cara, pero había visto la casa. De nada servía que se hubiera deshecho de las pruebas. Y puede que aquel inspector regresara con una orden policial, tomara sus huellas y la fichara.

Todo fue un desastre, pero ella era positiva. Si había recordado tanto a Pablo en los últimos tiempos puede que se debiera a que era el momento de reencontrarse con él. Seguro que le emocionaría descubrir que había conservado su vajilla china todo ese tiempo. Ahora podría usarla con él y sorprenderlo con los nuevos platos que aprendió.

¿Y si la había olvidado? Siempre cabía la posibilidad, pero por su bien esperaba que no fuera así. Porque estaba dispuesta a recuperarlo al costo que fuera.

Salomé esperaba impaciente en la cafetería que le indicaron. Aún quedaba tiempo para las cinco, pero no volvió a tener noticias ni del inspector Vélez ni de la secuestradora.

El agente le había enviado un mensaje una hora atrás, diciendo que estaría camuflado cerca de ella para protegerla en todo momento, pero que era mejor que no apareciesen juntos. Eso tenía sentido, aunque no comprendía por qué no le había enviado otro mensaje para tranquilizarla, indicando que ya estaba allí.

Lo cierto es que el lugar donde la citó la mujer era perfecto para pasar desapercibida. La cafetería estaba repleta de gente a esa hora. Su curiosa configuración incluía cuatro entradas, una por cada punto cardinal, haciendo un efecto de patio en el centro. Las mesas se llenaban y vaciaban constantemente. Desde luego, no era el tipo de local al que estaba acostumbrada. Al situarse en el concurrido distrito de Olivares no faltaban las voces festejando, gritando y riendo. La música tampoco era tranquila.

Observó a su alrededor por enésima vez y decidió ir al baño, en el piso superior. No había sido buena idea ocultarle aquello a su marido. Por primera vez en todo el día era consciente de lo extraña de la petición de que acudiese ella. Y, sobre todo, la condición de que no le hiciera partícipe a Dionisio ni a la policía.

Ellos ya sabían que les seguían la pista. Recordaba perfectamente la conversación de su marido con la persona que lo chantajeaba, diciéndoles que era cuestión de tiempo que la policía se pusiera tras el rastro de Gabriela. Si el objetivo era su marido, ¿por qué la involucraron a ella?

Solo en ese momento comprendió que quizá podían convertirla en un elemento adicional para hacer más presión sobre Santos. Y ella, en su ingenuidad, se había puesto en manos de los secuestradores.

El baño tenía una única cabina y no estaba ocupada. Aprovechando que estaba sola marcó el número de Dionisio. Le extrañó que no le respondiese y decidió enviarle un mensaje.

«He venido a recoger a nuestra hija. Lamento no habértelo contado, pero me amenazaron con Gaby y no supe negarme. Espero regresar con ella. Si no es así, esta es la dirección en la que he quedado, ahora a las cinco».

Regresó al piso inferior. Ni rastro de Vélez. Tampoco se le acercó ninguna mujer. Volvió a ocupar una mesa, pidió otro refresco y pasó los siguientes veinte minutos estudiando cada entrada. Nadie se aproximó. Eso le hizo preocuparse aún más, quizá habían visto a la policía y entonces estaba todo perdido para Gabriela. Hubiera querido llorar de impotencia.

Volvió a llamar a su marido, esta vez desde la mesa, y tampoco obtuvo respuesta. Aún esperó hasta las cinco y media y decidió llamar a la estación de Policía y contarles «la tontería» que hizo.

36

MÁRQUEZ SE PRESENTÓ en la estación de Policía acompañado de Felipe Mejía. Lo dejó en una sala de retención, custodiado, para que pudieran interrogarlo luego.

Goya y Castillo se habían ido al piso de esta última en el distrito de Olivares para buscarle algo de ropa y quitarse el atuendo de *favorita* que todavía llevaba.

A Oliver le hubiera gustado que acudieran todos a la estación para poner juntos al comandante Sotomayor al día. Sin embargo, era su superior el que tenía noticias que darle.

—Adivina quién está involucrado.

Le enseñó las fotografías de los dos «nuevos». Márquez no había llegado a conocer a ninguno de ellos. Vio que no solo se trataba de su reemplazo en el puesto de médico forense. El compañero de Aneth Castillo, sustituto de Goya, también estaba involucrado.

185

Dionisio Santos se quedó estupefacto ante la revelación de que su mujer le había mentido para ir a reunirse con los secuestradores. Salomé siempre lo apoyó, y le dolía aquella desconfianza. Por otra parte, él tampoco había sido sincero con ella. Deseaba mantenerla al margen de las preocupaciones y quizá se había excedido. Al fin y al cabo, la que estaba retenida era la hija de ambos.

Cuando el comisario le colgó, llamó al número de Matías Vélez que le había dado. No le respondió en ese momento, le devolvió la llamada minutos más tarde. Le dijo que iba de camino a su casa porque quería contarle novedades del caso. Santos autorizó su entrada en el condominio de Villablanca y su mansión.

Todo se estaba derrumbando. Valentina no le respondía a las llamadas y sospechaba que algo iba mal con la niña. ¿Se habría excedido en su celo y la habría matado? Era posible con aquella psicópata. Nunca la hubiera introducido en el equipo, pero Mejía insistió en que necesitaban a alguien «para hacer el trabajo sucio».

—Tú eres policía, Vélez. Yo trabajo también para ellos. ¿Y si nos entran escrúpulos y no terminamos aquello que nos han encargado? Estaremos en la calle, «pringados», y lo que es peor, seguiremos siendo pobres.

Ahora que lo pensaba, Felipe Mejía también era una persona sin escrúpulos. Aún recordaba el modo en que había atentado contra la vida de Aneth. Y él había sido el promotor de la idea del incendio, como plan paralelo para inducir al empresario a claudicar cuanto antes. No satisfecho con hacer arder las barracas, había conseguido unos extintores tóxicos. Sí, Mejía era un tipo peligroso. Pero tenía la cualidad de la perseverancia. Cuando perseguía algo, no cejaba hasta conseguirlo. Esa era una cualidad muy valiosa.

Tampoco se podían quejar de lo que él mismo había aportado al equipo. Tanto a Mejía como a Cárdenas les resultaba difícil el trato social. Pero Matías era simpático, atractivo, alguien en quien instintivamente se podía depositar confianza. Cuántas veces le resultó útil aquella cualidad para atrapar a delincuentes. Si Mejía era el «poli malo», Vélez era el «poli bueno». Pero ambos unidos por un mismo objetivo y sin piedad para quien quisiera interponerse en él.

Había llamado a Santos para ir a verlo a ese barrio suyo que parecía una prisión de seguridad. «La jaula de oro», la llamaba Mejía. Le parecía un nombre muy apropiado. Al final, con sus riquezas, los pudientes se habían condenado al ostracismo, siempre rodeados de guardaespaldas, alarmas y controles.

Condujo el último tramo hasta la mansión de Dionisio Santos y observó la hora. Faltaban veinte minutos para las cinco. ¿Qué diría Salomé cuando no viera aparecer a Valentina? ¿O cuando sospechara que él no acudiría? Ya había tomado la decisión, no podía volverse atrás.

El empresario lo recibió en su despacho. La última vez que estuvo allí elogió las obras de arte de la casa. La reproducción de *La mujer dorada* de Klimt que presidía la sala no era tampoco despreciable, en absoluto. Cuando la vio se insufló de nuevos ánimos para seguir adelante. Quería dinero, y el único obstáculo para obtenerlo lo tenía frente a él en esos instantes.

Dionisio parecía preocupado y le estrechó la mano con poca energía.

—Me alegro mucho de que haya venido, inspector Vélez. No podía haber sido más oportuno.

—¿Puedo ayudarle en algo? —Matías exhibió una de sus

sonrisas cálidas y el empresario le ofreció asiento enfrente, con la mesa de despacho entre ambos. Él también ocupó su sillón.

—Acaban de comunicarme que mi esposa se está dirigiendo a una cita con los secuestradores.

Vélez alzó una de las cejas con fingido gesto de sorpresa.

—¿No lo sabía? —Dionisio lo interrogó con la mirada—. Creí que esa era la novedad que venía a comunicarme.

—¿No le agrada pensar que va a recuperar a su hija? —Matías respondió con otra pregunta.

—Dudo que eso suceda, inspector. Porque yo no le he dado a los secuestradores lo que ellos deseaban.

—¿Y eso es…?

El empresario se inclinó hacia delante en su asiento.

—Mi influencia para poder desmantelar el barrio de La Favorita.

—¿El mismo que se ha incendiado?

Este asintió.

—Bueno, tal parece que ahora habrá que levantarlo de nuevo. ¿Siguen insistiendo después de lo último que ha acontecido?

—Me temo que sí. Si lo declaramos insalubre, se podría desalojar a toda aquella pobre gente.

—Y usted, ¿qué va a hacer?

Dionisio le contempló con ojos desesperados.

—Siempre creí que era inmune a las extorsiones. Nunca me ha importado que amenacen mi vida. Pero secuestrar a Gaby, poner en peligro a mi mujer, es más de lo que puedo soportar. Si insisten, firmaré.

Matías sonrió.

—Hágalo.

—¿Disculpe? —Santos le observó con sorpresa.

—Firmar, me refiero —indicó Vélez—. Usted mismo me

ha confirmado que no hay otra solución. ¿Tiene preparado el informe?

—¿Cómo sabe que han pedido un informe? —Le contempló con incredulidad—. ¡Usted...!

Matías se levantó y se inclinó hacia él por encima de la mesa.

—Ha agotado nuestra paciencia, Santos. Envíe ese informe con su rúbrica por fax al presidente del comité. Tendrá validez suficiente como para cumplir con lo que le pedimos.

—¿Sabe que aquí hay más personal de seguridad que en toda la estación de Policía central?

—Seguramente. —A Matías no le abandonó la sonrisa—. Pero quien tiene a su mujer y su hija somos nosotros. Si no regreso, que es una posibilidad, las ejecutarán. Así que usted decide.

Vélez volvió a tomar asiento, como si no hubiera acabado de amenazar al empresario.

Sonó el celular de Dionisio. Matías le tendió la mano y le dijo:

—Me lo guardaré si no le importa. Hasta que cumpla con su parte.

El empresario se lo entregó y Vélez comprendió que ya lo tenía atrapado. Lanzó una mirada fugaz al remitente de la llamada perdida. Era Salomé Santos. Debía haberse impacientado con la espera. Había evitado justo a tiempo que lo delatara. Dionisio debía continuar creyendo que la retenían.

Silenció el celular y se lo guardó en el bolsillo. El empresario sacó una estilográfica de un estuche y se dispuso a firmar.

37

ALEJANDRO SE ACERCÓ al edificio y contempló el rótulo. Lo memorizó en su retina de tanto observarlo. Orfanato Familia Casa Hogar. Era un bonito nombre para una casa de acogida de huérfanos y niños abandonados.

Dudó un instante antes de llamar, pero finalmente pulsó el estruendoso timbre y esperó al otro lado. Le abrió una empleada nueva. Sabía que cambiaban cada cierto tiempo, el bajo salario y la cantidad de trabajo solían desalentar a las personas que no llegaban allí con vocación de servicio. «Como Meri», pensó, «mi Meri».

Le indicó a la persona que le abrió que buscaba a América Herrera.

—¿De parte de quién?

—Dígale que soy Alejandro, por favor.

—Alejandro, ¿su apellido?

—No hace falta, ella sabe quién soy.

La mujer se alejó. Era difícil que lo reconociese. Cuando visitaba a Meri, siempre acudía disfrazado. Esta ocasión no era diferente. Se había colocado un bigote y una perilla falsos.

También se vistió de traje. No lo hubiera identificado ni el propio Chedes, su lugarteniente.

Mientras América bajaba al piso inferior se iba repitiendo el discurso que tenía preparado. Ojalá pudiera recitarlo entero frente a Alejandro.

—Meri, ¿cómo estás?

Ella lo observó un instante con un gesto extraño.

—Me has impresionado con esa perilla.

—Me da un aire interesante, ¿verdad?

América sacudió la cabeza, negando.

—En realidad, me recuerda a una persona bastante desagradable que he conocido esta mañana.

—¿Qué ha sucedido? —Correa se asustó.

—Estuve en el Santa Inés visitando a Aneth, como me pediste. Cuando llegué a la habitación un médico con perilla estaba intentando acabar con ella.

—¿Felipe Mejía?

—¿Lo conoces?

—No en persona, pero me pidieron ayuda para identificarlo con una foto. —Ella lo miró sin entender—. Esta mañana he estado en la estación central de Policía. Quería resolver de una vez para siempre quién estaba detrás del incendio de La Favorita.

Se acercó a ella y la tomó de las manos.

—No sabes cómo agradezco que te hayas acercado a ver a la inspectora al hospital. Estaba muy preocupado porque se arriesgó para ayudarnos.

Ella se liberó de sus manos y retrocedió un paso.

—No me supuso ningún esfuerzo, Alejandro. La considero una amiga.

—Por favor, cuéntame qué sucedió en la habitación.

América lo condujo a uno de los asientos del patio y le relató el encuentro con Mejía. También le narró cómo Goya había terminado llevándose al médico criminal a punta de pistola.

—Eres una mujer muy valiente.

América vio su oportunidad en ese momento.

—¿Eso crees, Alejandro?

—Por supuesto. ¿Acaso piensas que miento?

Ella lo miró directamente a los ojos.

—Si fuera valiente me atrevería a decirte algo que lleva tiempo dando vueltas en mi cabeza.

—Sabes que puedes contarme lo que desees.

—Alejandro, sé quién eres.

Por un instante, Correa creyó que América había descubierto su secreto. Sin embargo, disimuló y soltó una carcajada.

—Eso no lo dudes, eres la persona que mejor me conoce.

—¿Mucho más que tu gente?

—¿Te refieres a los *favoritos*?

—No. —Ella volvió a mirarlo a los ojos con desafío—. Me refiero a la gente que sigue al Macaco. A tu banda.

Alejandro la volvió a tomar de las manos y se las apretó con fuerza.

—¿Cuánto hace que lo sabes?

—Bastante.

—Pero nunca me has dicho nada. ¿Qué opinas al respecto?

Ella miró a un punto por encima de su cabeza.

—No me importa, Alejandro. Quiero decir, sé cómo eres realmente. Pero también sé que ellos están por delante de nosotros.

—¿Nosotros? ¿Qué quieres decir?

—Sabes perfectamente a lo que me refiero. ¿O me estoy imaginando que sientes algo por mí?

—No, no te lo imaginas. —Ahora le tocó el turno a él de poner el gesto serio—. Pero ya sabes que es imposible.

—Sí, lo sé. —Afirmó también con la cabeza—. Por eso te decía que debo ser valiente.

—¿Me estás diciendo que te vendrías a vivir a La Favorita?

Ella negó con la cabeza y Correa se dio cuenta de que había deseado con mucha fuerza que la respuesta fuese la contraria. Sintió una gran decepción y un extraño pinchazo en algún lugar del pecho.

—Sabes muy bien que no puedo abandonar a estos niños. Y sé también muy bien que tú no abandonarías a los tuyos. Pero esto no puede seguir así.

—¿El qué?

—Esto. —Hizo un gesto con la mano, les señaló a ambos y después trazó un arco amplio a su alrededor—. No podemos fingir que no sucede nada. Cada vez que me visitas pienso que será para decirme que has encontrado una solución para que estemos juntos. Pero no es así. Solamente quieres verme. Y me pregunto por qué si en realidad no quieres darnos una oportunidad.

—Ya sabes por qué. —Volvió a tomarla de las manos—. Porque me importas.

—Es una crueldad, Alejandro. Si fueras tan buena persona como creo, dejarías de verme por completo, intentarías que te olvidara. Pero lo único que persigues es que te siga recordando, mantener vivo el sentimiento.

Alejandro sintió como si le hubiera golpeado con un mazo.

—¿Es eso lo que piensas, de verdad?

—Sí. Nunca voy a tener una oportunidad de ser libre si continúas viniendo, una y otra vez.

—Nunca tuve la intención de lastimarte.

—Entonces te pido por favor que dejes de verme. —Se soltó de la mano y se puso de pie. Él la imitó—. Olvídame, por favor. Borra mi número de tu celular. Finge que no existo. Porque esa es la cuestión: en el fondo yo no existo para ti. No puedes poseer dos cosas opuestas al mismo tiempo

»No quiero hacerte elegir, yo también he tomado mi decisión. Lo asumo y no te llamo ni te busco. Eres siempre tú el que viene a mí.

A Alejandro le hubiera gustado decirle que la necesitaba tanto como la visión del océano desde el montecillo, tanto como un sediento necesita el agua. Pero comprendía lo que ella quería decirle.

Por otra parte, imaginar que otra persona podría adueñarse de ella, que ella podría olvidarlo y regalar aquel sentimiento a otro, le producía una emoción muy dolorosa. Sin embargo, América tenía razón, debía ser generoso y renunciar a ella.

—Nunca te he besado.

—Tampoco te lo he pedido.

—¿Podría hacerlo ahora?

—No. No quiero que me dejes ese recuerdo. Harás que vuelva a él, que lo rememore.

—Me estás pidiendo un gran sacrificio. Dejar de verte es también perder tu amistad, y a una persona que comprende mis sentimientos. Déjame al menos el recuerdo de tu sabor.

La abrazó con fuerza. América intentó apartarlo.

—Por favor, suéltame.

—¿Deseas de verdad que no te abrace?

—No, no quiero que lo hagas. —Alejandro sintió que la tierra lo engullía hasta que América siguió hablando, en voz baja—. No quiero que dejes de abrazarme.

Se separó un instante de ella para poder mirarla a los ojos. No existía criatura más hermosa.

La abrazó de nuevo y, de un tirón, se deshizo del bigote postizo y la falsa perilla. Cuando volvió a buscar sus ojos,

América vio el rostro que tan bien conocía. Y, entonces, él la besó.

No fue delicado, hacía demasiado tiempo que la deseaba. La sintió oponerse al inicio, apenas unos instantes, luego ella igualó su pasión. Alejandro le sujetó el rostro con ambas manos para no caer en la tentación de recorrer su cuerpo con caricias.

No tenía suficiente, sabía que nunca tendría suficiente. Por eso se apartó. Sin girarse para mirarla empezó a caminar hacia la salida. No quería oír la palabra «adiós», pero ninguno de los dos dudó de que aquella era la despedida.

38

EL GUARDIA de seguridad nunca se había enfrentado a una situación semejante. Dos agentes de la ley exhibían sus placas frente a él, acompañadas de una orden de detención contra alguien llamado Matías Vélez. De los dos policías, uno era un hombre rebasando los cincuenta, con un bigote gris muy tupido y los ojos claros, no tenía aspecto de tener paciencia. El otro era una mujer, una joven cercana a la treintena, cutis muy blanco y cabello oscuro. «Como Blancanieves», pensó el guardia. Consideró que sería más fácil de tratar y se dirigió a ella:

—Lo siento mucho, señora.

—Inspectora —le corrigió—. Inspectora Castillo.

—Inspectora Castillo, lo lamento, pero no puedo dejarlos pasar. Son las normas del condominio.

—Pues esas normas habrá que reelaborarlas —dijo la mujer con firmeza—, venimos a hacer una detención y usted no puede obstaculizar la ley.

El hombre levantó los brazos como si se rindiera.

—Van a hacer que pierda mi trabajo.

—Eso no sucederá —intervino el hombre—, sin embargo, si nos sigue reteniendo le puedo garantizar que yo personalmente procuraré que pase una noche, o más, en el calabozo.

Al final el guardia se avino a sus razones. Una vez que consiguieron atravesar la primera línea las sucesivas fueron más fáciles —puesto que les dejaron pasar por la principal, la más difícil—. Goya bromeó diciendo que él se había traído todos los diplomas para testimoniar su valía profesional. Después de varias vueltas localizaron por fin la mansión de Dionisio Santos.

Había sido idea de Goya acudir a la casa del empresario con la intuición de que Matías podría encontrarse allí. Salomé Santos se puso en contacto con ellos y les había narrado lo sucedido con el inspector Vélez. Comprendió en ese momento que si el inspector no había hecho su aparición, probablemente estaría intentando recuperar la ventaja de que Dionisio y Salomé no se habían comunicado, yendo al domicilio del empresario.

Aneth insistió en acompañarlo. Ahora estaban ambos en el interior de la casa y la persona que ejercía un puesto similar al de mayordomo les indicó que el empresario estaba reunido en esos instantes con el inspector Vélez y había dado orden de que no se le molestase.

Ambos se contemplaron con complicidad por el acierto en la intuición.

—Me alegra saber que no has perdido facultades, Goya.

—Más respeto, mocosa.

Cuando también le mostraron a este la orden de detención contra Matías Vélez, el mayordomo palideció y se ofreció a acompañarlos enseguida hasta el despacho. Nada más abrir la puerta oyeron a Vélez decirle a Santos.

—Ha tomado la mejor decisión. Créame, la familia siempre es lo primero.

Aunque Matías no estaba amenazando con ningún arma al empresario, era indudable la forma tan renuente con la que el empresario rubricaba el documento, observado por Vélez, que estudiaba, por encima de su hombro, lo que Santos escribía.

Ambos levantaron la mirada cuando entraron los dos inspectores.

—Señor Santos, acérquese a mí. Vélez, quédate dónde estás.

—Pero mi familia… Este hombre tiene en su poder a mi mujer y a su hijo.

Goya negó con la cabeza.

—En absoluto. Eso es lo que ha pretendido hacerle creer. Pero su hija está a salvo, con nosotros, y su esposa ya está de camino a la estación de Policía para recogerla. Hemos estado llamándole, pero no respondía al celular.

Dionisio salió de la sala, taladrado por la mirada de Matías.

—No saben qué han hecho —dijo este último.

Aneth miró un momento a Goya y le pidió:

—¿Podrías dejarme un instante a solas con él?

—Dos minutos, luego entraré.

Ella sonrió, pero el gesto estaba impregnado de cansancio. Cuando la puerta se cerró detrás de ella, miró al hombre que estaba junto al escritorio.

Los ojos verdes seguían siendo tan bonitos como aquella mañana, cuando la había despedido con un beso. En aquellos instantes, logró emocionarla. Sin embargo, ahora lo observaba como si estudiara una mosca de cuerpo brillante y azul. Ella se había dejado deslumbrar por los colores, olvidándose de la esencia. En esos momentos podía verlo cómo era y se preguntaba en qué momento su atractivo pudo distraerla de su verdadero ser. «No es más que un gusano traidor», pensó.

—Aneth, qué sorpresa verte recuperada tan pronto. Espero que te encuentres bien. —Incluso su voz, que antaño le pareciera sensual por su tonalidad grave, ahora le recordaba al siseo de una serpiente.

—Desde luego, debe ser una sorpresa. Mejía, «tu socio», ha intentado acabar conmigo de varios modos. Por suerte, hay gente que me valora y que ha logrado detenerlo a tiempo.

—¿De qué estás hablando? —Matías rodeó la mesa y quiso acercarse a ella. Castillo lo detuvo con un gesto.

—Aneth, yo te salvé la vida en La Favorita. Mejía quería rematarte y yo lo impedí.

Ella se rio sin ganas.

—Lo único que intentaste impedir fue involucrarte en el asesinato de un agente de la ley. No intentes hacerme creer que yo te importaba de algún modo.

»Todo ha terminado, Matías. Tu socio está ahora en la estación de Policía, declarando contra ti, aunque eso no impedirá que termine en prisión, exactamente igual que tú. Acabamos de pillarte «con los papeles en la mano», amenazando a Santos para que firmara los documentos.

—Aneth, creo que no entiendes lo que está sucediendo aquí.

—Lo comprendo demasiado bien, y deja de utilizar mi nombre de pila. Para ti soy la inspectora Castillo.

»Me has manipulado, has jugado con mis sentimientos, con mi debilidad emocional en estos momentos, para que no sospechara de ti. Aún no puedo creer que seas tan falso. Has jugado la comedia de sentirte atraído por mí, incluso de fingir que estabas dispuesto a hacerte cargo de mi hijo…

—Aneth…

—¡Inspectora Castillo, maldito seas!

Matías levantó la mano en gesto apaciguador.

—Entiendo que ahora pienses lo peor de mí. Pero, inspectora Castillo —el modo en que lo dijo fue irónico—, los sentimientos no son tan fáciles de simular. Realmente me atraes, muchísimo.

Avanzó dos pasos, se llevó las manos a la espalda, y continuó:

—Haría cualquier cosa, lo que fuera, por borrar mi pasado y poder presentarme de nuevo ante ti como un hombre de bien.

»La vida no ha sido fácil para mí, las circunstancias me han llevado por otros derroteros. Tú sabes perfectamente que a veces no se puede luchar contra ellas.

»Sin embargo, si me concedes una oportunidad, igual que se la estás dando a ese niño inocente, te prometo que seré otro hombre.

»Concédeme cinco minutos, no te pido más que eso. Mira hacia otro lado y deja que me vaya. Luego, cuando transcurran esos minutos, haz lo que quieras. Sal en mi búsqueda, envía a Goya. Pero consígueme esos cinco minutos. ¿Acaso no recuerdas nuestro beso de anoche? Fue algo hermoso y sincero. Estamos más unidos de lo que crees.

Aneth odiaba la calidez de la voz de Matías. Aquel hombre sabía modular su voz sibilina con la entonación adecuada para hacerle recordar las caricias que compartieron. Le dolía en el orgullo haberle creído una vez y estar haciéndolo de nuevo ahora, porque le costaba pensar que alguien pudiera usar de ese modo tan sucio los sentimientos de los demás.

La puerta del despacho se abrió y sintió una presencia. Supo que era Goya, que consideró terminada la tregua de los dos minutos.

Levantó el brazo y apuntó con su pistola a Matías.

—Suéltalo.

Castillo contempló un instante a su compañero, sin entender.

—He dicho que lo sueltes —insistió el inspector.

Matías mostró las manos que se había llevado a la espalda. En una de ellas tenía un abrecartas, largo y afilado como un cuchillo. Lo dejó sobre la mesa.

Aneth lo miró, boquiabierta ante lo que acababa de presenciar. Matías había pronunciado aquel discurso mientras sostenía un arma en la mano. Y ella ya no dudaba de que podía habérselo arrojado en cualquier momento, o clavado, dada su intención de ir acercándosele.

—Yo me encargaré de él —dijo Goya.

Por segunda vez en ese día sacó sus esposas, y se las colocó a Vélez.

—Ahora sí que la has fastidiado —le susurró el inspector en el oído a Matías al tiempo que las esposas hacían clic.

39

En el camino de regreso a la estación de Policía, Aneth se mantuvo en silencio. Goya se encargó de conducir, a pesar de que hacía meses que no se ponía detrás de un volante. Primero, por el estado en que solía encontrarse, ebrio o «con mono». Después, porque en la clínica de desintoxicación, lógicamente, no tuvo posibilidad de practicar.

Durante el trayecto la inspectora iba reflexionando sobre la conversación que mantuvo con Vélez en el despacho. Se fue repitiendo las palabras cariñosas que él le había manifestado, tanto en ese momento como en otras conversaciones: «Realmente me atraes, muchísimo», «No he podido evitar sentirme atraído por ti desde el primer momento», «Si no fuéramos compañeros, podríamos pensar en una relación», «Adoro a los críos y, en este caso, adoro a la madre».

Sí, ahí estaba su voz un poco ronca, varonil, acariciándole el oído y pronunciando las palabras adecuadas para atraparla en su hechizo. Aquellas frases manifestando preocupación por el niño, el modo en que había fomentado sus deseos de una relación estable. Vélez era un ejemplar de clase A de un manipulador emocional.

Quizá Matías actuara así de un modo hasta casi inconsciente. Era un hombre muy atractivo, y no tenía dudas de que si no estaba con alguien no sería porque le faltaran ocasiones. Lo que diferenciaba a Vélez de otros machos «alfa» era su total falta de escrúpulos. Eran patentes el hecho de que no le importaba mentir si conseguía de este modo su objetivo, su capacidad para enredar a las personas en su tela de araña y la forma en que atraía a su presa, tal como hacía una planta carnívora sirviéndose de su letal fragancia.

A ella, desde luego, le hizo creer que era importante, y solo podía considerarse verdad en un sentido: necesitaba estar cerca de la inspectora para impedir que se descubriese el pastel, boicotear la investigación y «distraerla» de su cometido.

¿Cuáles eran las palabras que él había usado? ¿Cariño? ¿Atracción? De ningún modo, las personas como Vélez solo amaban con devoción a alguien: a ellos mismos. En lo demás se guiaban por un movimiento primario de satisfacer sus necesidades básicas de vanidad, lujuria y ansia de poder. Lo que ellos consideraban el equipaje fundamental para disfrutar la vida. Libertad, en una palabra: para hacer y deshacer, querer y ser queridos, ordenar y seguir instrucciones si les reportaba un beneficio.

Por un instante contempló a Guillermo Goya, conduciendo a su lado. Si él hubiese estado allí desde el inicio habría podido advertirle de la naturaleza de Matías Vélez. Puede que tuviera que suceder de este modo. A veces se aprende gracias al regusto amargo de la experiencia. Después de verlo en el despacho con aquel abrecartas que, a buen seguro, no hubiera vacilado en esgrimir contra ella, Aneth se dijo que no necesitaba más recuerdo que ese. Tenía que borrar a Matías de su pensamiento y de la parcela de afecto que había comenzado a conquistar. ¡Lo odiaba tanto! Por hacerla sentir débil, estúpida y ciega. No solo la manipuló emocionalmente y había conseguido comenzar a enamorarla, en lo profesional, la dejó en absoluta y total evidencia frente al resto de sus colegas de trabajo. Ahora le tocaba soportar la vergüenza en la estación de Policía.

¿Sacaría algo positivo de aquella experiencia? Ojalá. No quería volver a tropezar dos veces con la misma piedra. Debía recordarse que Vélez llegó en un momento en el que ella se encontraba especialmente necesitada de afecto. A saber si en otras circunstancias hubiera caído en su trampa.

Castillo se sabía fuerte, aunque ahora mismo sus emociones fueran como una manada de caballos encabritados. Pedro, su progenitor, le recordaba a menudo su estoicismo y su brío. Él no le deseaba el fracaso que había sido el matrimonio con su madre, por eso los sentimientos nunca fueron su talón de Aquiles. Aprendió a manejarlos bien. O eso creyó antes de descubrir que estaba embarazada, y cuando postergó el tomar una decisión respecto al niño y Vicente.

Aquella inestabilidad propició que buscara un asidero en la persona equivocada. ¿Quién le ofreció su hombro para llorar? Matías. ¿Quién le tomó las manos con preocupación en el hospital? Matías de nuevo. ¿Quién se interesó por la salud del bebé antes siquiera de que ella preguntase? La respuesta siempre era el mismo nombre.

No le extrañaba haber caído. En cada ocasión, Vélez supo estar a la altura de las circunstancias y sacó partido de ellas. Convirtiéndose en su confidente, aprovechando la (evidente) atracción de ella hacia él, haciéndola creer que era su rescatador cuando tan solo buscaba no elevar la gravedad de los delitos.

Lo más patético era que estaba dispuesta a perdonarlo.

Por desgracia, ella creía en lo que Vélez le había afirmado: «los sentimientos no se pueden simular». Sabía que aún tenía poder sobre ella, que el impacto fue demasiado profundo y que arrastraría las secuelas durante meses, hasta que la fuerza de estos razonamientos terminara por penetrarla y convencerla de que se había librado de un indeseable. Sanaría, por supuesto, pero pasaría tiempo antes de que pudiera hacer chistes sobre el guapo inspector que llegó a Sancaré para cometer un crimen delante del mismo cuerpo de Policía.

Aneth recordaba cómo su padre había ido cambiando su actitud después de la fuga de su madre. Evitó con tiento todo lo que pudiese recordarla, pero los últimos años tuvo una relación bastante estable, y con aquella persona vivió una segunda luna de miel.

¿Acaso no había que agradecerle eso al tiempo? El transcurrir de los años termina por atenuar las emociones más terribles. La memoria se convierte en un canto pulido, suave, sin aristas. Y llega un momento en que deja de doler. También de emocionar, eso es cierto. Pero ese es el peaje del olvido.

Goya y Aneth entraron en la estación de Policía. El jefe Goya dejó a recaudo al detenido para que pudieran interrogarle. En otra sala se oía el llanto de Salomé y su hija, reencontrándose con Dionisio Santos. El empresario quiso que su chofer lo llevase, en su coche y a él solo, para reunirse con su familia. El inspector ya le había advertido que tendría que prestar declaración por haber obstaculizado a la justicia y omitir datos claves para la investigación.

El comandante Carlos Sotomayor los recibió con efusividad.

—Por favor, inspectores, pasen a mi despacho.

Había colocado cuatro sillas frente a su mesa, y las ocuparon ambos inspectores, Hilario Cota y Oliver Márquez.

—Me gustaría ponerlos al corriente de la declaración de

Felipe Mejía y, por supuesto, felicitarlos por su trabajo. Sé cuánto sacrificio personal han supuesto las últimas horas y quisiera que tuvieran presente que se las reconocemos. Yo, en primer lugar.

Señaló con un gesto al inspector Goya.

—Aquí, nuestro jefe Goya ha abandonado la comodidad de su alojamiento en pro de la investigación. Él intuyó dónde podríamos encontrar a Vélez y detuvo a Mejía. De aplauso.

Y eso es lo que hicieron los presentes, animados por el comandante. Este agradeció mentalmente que no detallara las características de «su alojamiento», aunque fuese tan público como el Parque Nacional de Sancaré.

Sotomayor dirigió su dedo índice hacia Aneth.

—Nuestra joven inspectora Castillo no solo ha abandonado el hospital para detener a los sospechosos, sino que ha sufrido dos intentos de homicidio en apenas veinticuatro horas.

Se volvió hacia Hilario Cota.

—El inspector Cota se ha pasado esta noche en vela auxiliando a los heridos de La Favorita y aún ha tenido lucidez para seguir la pista de la secuestradora, a la que ha identificado con éxito.

—Pero se nos ha escapado —murmuró él.

—Es cuestión de tiempo que la encontremos. Poseemos sus huellas dactilares, sabemos cómo es físicamente y ahora tenemos a sus socios.

—Mucho me temo que no sea suficiente. Esa mujer viaja ligera de equipaje. Pero hay algo de verdad en lo que dice, señor. Yo tengo la certeza de que nos volveremos a encontrar. Tenemos pendiente una comida asiática.

El comisario Sotomayor lo observó como si no le comprendiera, pero ignoró la última observación. Habló del último.

—Finalmente, nuestro médico, Oliver Márquez. Ha sacrificado la seguridad de su familia, amenazada de muerte, para ayudarnos. El análisis de los informes médicos nos ayudó a identificar la amenaza de Mejía.

Márquez agachó la cabeza. Solo Goya y Sotomayor, pensó el primero, sabían que hubo que convencerlo para regresar. El miedo es gratuito, se dijo el inspector Goya.

—Muy bien, repartidos los parabienes, es el momento de desvelar la trama de este secuestro.

»En realidad, en el inicio está uno de los mayores males que azotan a este país en general y a Sancaré en particular: la corrupción de nuestro cuerpo policial. Matías Vélez y Felipe Mejía son dos personas que trabajan para la ley, pero obtienen el verdadero beneficio operando de espaldas a ella. Es cierto que Matías Vélez es inspector de Policía en Becerrilla, Mejía nos lo ha confirmado. Pero cuando le encargaron al médico, cerebro del equipo, el trabajo que ahora les describiré, no le costó trabajo convencer a Vélez de unirse a ellos.

»Una empresa extranjera con intereses inversionistas en Sancaré contactó con Mejía. Necesitaban a alguien del país, vinculado a la Policía, que los ayudase a planificar el modo de obtener unos terrenos. Estos, una vez libres de sus actuales ocupantes, podrían utilizarse para construir viviendas de estrato siete. Resulta sorprendente la lucidez de la señora Santos, que anticipó estas motivaciones y que, debido a ello, casi se convierte en otra víctima más, liquidada por la asesina que el médico contrató: Valentina Cárdenas, aunque ese no es su verdadero nombre. Como he dicho, es una mujer difícil de localizar, aunque esta vez nos haya dejado más pistas.

»Por otra parte, Mejía había oído hablar de Matías Vélez en otros círculos y sabía que, si le ofrecía una buena comisión, podría involucrarlo en el equipo. La especialidad de Vélez en secuestros fue la que le dio la idea de raptar a la hija de

Santos, de este modo existía la posibilidad de llevarla a Sancaré e infiltrarlo en la propia investigación.

»Felipe Mejía ideó un plan en apariencia sencillo: raptar a la hija del constructor multimillonario Dionisio Santos, que precisamente vivía en Sancaré. Es empresario, constructor, y posee una empresa de evaluación de riesgos ambientales. Por si esto fuera poco, también tiene poder suficiente como para influir en el alcalde. Intentaron que les facilitara el desalojo de La Favorita, pero él se resistió, a pesar de tener a su hija secuestrada. Por lo tanto, Mejía tomó cartas en el asunto y contrató a alguien que provocara el incendio y a otro que repartiera los extintores tóxicos.

»De este modo, sembrando de muerte La Favorita, eliminaba tanto el problema de las casas construidas como el de sus habitantes. Si no hubiera sido por Alejandro Correa, que dio la voz de alarma al hospital San Pedro Claver, y la solidaridad de los barrios vecinos, las víctimas mortales hubieran sido muchas más. En una siguiente etapa hubieran ido a por los *novenos*, los habitantes del Nueve de Febrero, por el simple hecho de que serían los vecinos no gratos del nuevo condominio.

40

Las cinco personas en el despacho del comandante Soto-mayor guardaron silencio por un instante, costaba creer tanta premeditación para asesinar a todos los habitantes de un barrio.

Alguien dio dos toques a la puerta y Sotomayor la hizo pasar. Era Karina, que traía la declaración de Matías Vélez, una vez finalizado el interrogatorio.

—¿Alguna discrepancia en relación con la versión de Mejía?

—Sí, señor. —Karina estaba nerviosa—. El inspector Vélez ha dicho que él no pensaba encubrir a la cuarta persona involucrada, y que deseaba hacerlo constar así en su testimonio.

Todas las miradas se dirigieron a los papeles que ella traía en la mano.

—¿Y quién es?

—Dionisio Santos.

Sotomayor se levantó y le arrebató el informe.

—¡No puede ser!

—Me temo que da bastantes datos, señor. ¿Qué quiere que haga?

—Retener al empresario, para comenzar. Y también a su esposa, que puede que esté implicada.

—Sí, señor.

Karina cerró la puerta y las miradas se tiñeron de ansiedad por conocer el contenido de la declaración.

—Salgan todos, por favor. Cuando lo lea y me aclare las ideas, los haré llamar.

Fueron saliendo del despacho, uno a uno.

El comandante Sotomayor comenzó a leer. Al terminar, se hubiera arrancado los cabellos de pura impotencia. Se fue con los papeles a la sala de interrogatorios donde retenían a Vélez.

—¿Es esto cierto? ¿O quiere vengarse de él?

Matías se encogió de hombros.

—Piense lo que quiera, señor. Mejía es el cerebro de la operación, y cree que Santos lo sacará de la cárcel porque desconoce lo que ahí cuento. Yo no creo que el empresario sea tan necio. Una vez que nos tenga a ambos en la cárcel, respirará de alivio. Tampoco va a perdonar así como así a quienes intentaron hacer daño a su mujer y secuestraron a su hija.

—Ya, pero tal y como lo cuenta, tal parece que el promotor de toda esta pesadilla fue Dionisio Santos.

—No ocurrió de ese modo. La empresa extranjera lo contactó a él, no a Felipe Mejía. ¿Acaso no es lógico? Era un constructor y podría obtener un beneficio que no era de despreciar si alentaba los intereses de los extranjeros. Era sencillo: bastaba con plantear el asunto al alcalde, promover votos positivos entre sus compañeros de gremio, realizar un estudio ambiental «ligeramente» modificado. Pero no tuvieron en cuenta un factor muy importante.

—¿Cuál?

—Que le estaban pidiendo a un constructor local que les

consiguiese un suelo para construir ellos, no el constructor local. Era cierto que Santos obtendría una lucrativa comisión por obtenerles el terreno de La Favorita. Pero no tuvieron en cuenta la avaricia de Dionisio Santos. No es multimillonario por casualidad. Él hizo sus cálculos y pensó: «Si construyen residencias de estrato siete los ingresos son astronómicos, yo también quiero una comisión astronómica». La codicia lo perdió. Se negó a ayudar a los extranjeros si no subían su oferta. Y ellos vieron más allá. Que Santos acabaría por quedarse para él el terreno al que le echaron el ojo. Al fin y al cabo, ¿quién tenía los contactos con las autoridades locales y la empresa medioambiental? Tuvieron miedo.

El comandante asintió:

—Y ahí fue cuando los contrataron a usted y a Mejía.

—Sí, nosotros entramos en escena precisamente para «asustar» a Santos y que dejara de pedir una participación tan elevada en los beneficios de las nuevas viviendas. El secuestro de Gabriela fue para amenazarlo y acortar plazos. Los extranjeros querían empezar cuanto antes los planes de construcción.

»Eso sí, Felipe Mejía pensó en el incendio y la intoxicación masiva como un plan B que también pondría a Santos contra las cuerdas. Si desalojaban el barrio, nuestros clientes conseguirían antes su objetivo, y nosotros, cobrar.

Sotomayor se levantó y se aproximó a la puerta.

—Así que afirma que Santos es un empresario corrupto.

—No lo afirmo, tengo la certeza después de haber mantenido conversaciones interminables con él para convencerlo de que cediera en sus exigencias. No solo es corrupto, ninguno de los tres imaginamos jamás que no se conmoviera por el rapto de su hija. Estoy convencido de que si no hubiera visto de repente que nuestras pretensiones las cumpliríamos, aun al precio de las vidas de su mujer e hija, la niña aún seguiría secuestrada.

—¿Y Salomé?

—¿Qué quiere que le diga? ¿Que adora a su marido tanto como le teme? ¿Que su ceguera es mayor que la del símbolo de la justicia? Eso es lo que le puedo decir de Salomé Santos. Jamás creerá mi declaración, me odiará hasta el minuto antes de mi muerte por haber manchado el nombre de su marido, y procurará que cumpla cadena perpetua en la prisión más insalubre del país. Ese es el retrato de la mujer por la que me pregunta.

Sotomayor se quedó un instante, reflexionando.

—¿Y la inspectora Castillo?

Vélez se puso a la defensiva.

—¿Qué sucede con ella?

—Intentaron acabar con ella en dos ocasiones. En La Favorita y luego en el Santa Inés.

—Si lo recuerda bien, en ambas ocasiones fue mi socio Mejía el que quiso eliminar a una persona que podía boicotearnos el trabajo.

—Y usted estaba de acuerdo.

—¿Sabe lo que le digo, comandante Sotomayor? Que la próxima pregunta solo la responderé en presencia de mi abogado. Si está intentando vengarse de algún modo porque la vida de «su protegida» peligró por causa nuestra, le aconsejo que mire en otra parte. Aneth cumplió con su papel de inspectora, se la jugó y pudo haber acabado muerta. No hizo nada que cualquier otro buen policía no hubiera hecho.

»¿Sabe por qué me trasladé al otro lado de la ley? Porque descubrí que era más rentable morir por los deseos de un mercenario que por mi país. Arriesgo la vida en ambos casos pero, si sobrevivo, la recompensa es mayor en el lado malo. Qué ironía, ¿verdad? Ser un buen policía te deja una jubilación pésima y un reconocimiento mediocre. Ser un policía «al margen de la ley» te permite una mansión en algún lugar remoto y la compañía de quien desees.

—Está usted enfermo, Vélez.

—Insúlteme si eso le hace sentirse más «honesto», un paladín de la ley y el orden. Pero en el fondo sabe que tengo razón.

Sotomayor no le respondió. Y cuando cerró la puerta tras él, lo hizo con tanta fuerza que temblaron las paredes. Ojalá el que estaba dentro entendiera que aquel portazo era la forma de abofetearlo sin violencia.

El día había amanecido menos caluroso que de costumbre. Los inspectores Aneth Castillo y Guillermo Goya quedaron para desayunar en la cafetería que se encontraba enfrente de la estación de Policía. A esa hora tan temprana de la mañana que escogieron había apenas tertulianos: dos parejas de jubilados que compartían un desayuno continental, un anciano que leía el periódico. Era precisamente el silencio y la tranquilidad que buscaban.

Había transcurrido ya una semana desde la detención de Matías Vélez y Felipe Mejía. A Valentina Cárdenas, pese a la insistencia personal de Hilario Cota en el asunto, no hubo modo de seguirle la pista. De vez en cuando hacían apuestas sobre el restaurante chino al que iría a comer el inspector. Se había obsesionado con obtener algún indicio mediante esa vía. En cuanto a Dionisio Santos, cuando Sotomayor les indicó el papel que le atribuía Vélez en el asunto, les costó creerlo, pero no les pareció descabellado. Eso sí, el empresario no pasó ni siquiera una noche en el calabozo cuando se presentaron los cargos contra él. Apareció con una corte de abogados que le sacaron del aprieto en menos tiempo del que tardaron en formularle las acusaciones.

Castillo y Goya sorbían el café en silencio, cada uno mirando a un punto diferente. A Goya le relajaba esa compañía que no necesitaba palabras, ni llenar silencios incómodos. Había aprendido, además, a interpretar los gestos de su compañera, y ella se mostraba últimamente muy cansada. El jefe Goya sabía que todavía estaba recuperándose de la traición del inspector Vélez. Pasaría un tiempo antes de que asumiera que la habían manipulado. Era duro para el orgullo de un policía. Imaginaba que no había sido una experiencia grata y, además, en el despacho de Santos comprobó que la relación entre ellos era más profunda que una simple amistad de compañeros de trabajo. Por respeto, prefería no preguntarle cómo se sentía al respecto.

Castillo mordisqueaba sin ganas uno de los bizcochos que le sirvieron con el café. De repente se quedó con los ojos fijos en su taza, se tapó la boca y se incorporó de la silla con rapidez. Goya la vio dirigirse hacia los sanitarios.

Aquel gesto que ella hizo… Goya se quedó detenido un instante, intentando repasar en su memoria cuándo había visto a alguien con ese mismo comportamiento. El *déjà vu* se materializó y lo recordó con nitidez. Silvia, su exmujer, había hecho eso mismo cuando estaba embarazada de Laura, debido a las náuseas.

¿Acaso Matías no habló de un «niño inocente»? Él no había querido indagar al respecto, pero decidió que ahora tenía la excusa para preguntarle a su compañera.

Aneth regresó, cabizbaja, y murmuró una disculpa al tiempo que se sentaba de nuevo.

—Castillo, ¿va todo bien entre Vicente y tú?

En todos aquellos días él no se había atrevido a preguntar por «el chico de Aborín», como lo bautizó mentalmente.

Ella alzó los ojos y lo miró con fijeza. Goya se sintió incómodo al ver cómo estos parecían aguarse. ¿Era posible que Aneth estuviera a punto de llorar?

—Estoy embarazada.

La primera imagen que le vino a Guillermo Goya a la mente fue Matías, pero comprendió que era imposible.

—Mi mayor enhorabuena. —El inspector le palmeó la mano—. Y Vicente, ¿qué dice?

Ella sacudió la cabeza.

—Cuando me vine de Aborín él no lo sabía. Le escribí hace unos días y todavía estoy esperando la respuesta.

Se encogió de hombros.

—Lo lamento. No me dijiste nada. —Su tono era triste más que acusatorio.

—No quería enredarte con mis preocupaciones, pero reconozco que estuve a punto de contártelo. Fue justo antes del secuestro de Gabriela.

—Siento mucho no haber estado ahí cuando me necesitabas.

—Tú no eres el responsable, así que no te eches la culpa. El padre es otro —rio entre dientes.

El inspector meneó la cabeza.

—Si necesitas cualquier cosa sabes que me tienes, ¿no es así?

—Lo sé, Goya.

—Muy bien, entonces ahí va mi primer consejo: nunca te fíes de un policía guapo, moreno y de ojos verdes.

Lo dijo remarcando la ironía, pero la sonrisa que le devolvió Aneth se parecía más a una mueca cansada.

Guillermo Goya comprendió que aquella experiencia había impactado más de lo deseable a su compañera.

—Tienes una vida muy larga por delante —insistió—. Un

fracaso no debe marcarte. Ya habrá tiempo para que encuentres al hombre ideal.

—¡Claro! Como si este existiera. Tampoco la mujer ideal, por supuesto.

—¡Ah, amiga mía! —Alzó un dedo como si estuviera riñéndola—. Yo, mantengo aún, el último fragmento de mi fe adolescente: esa mujer ideal está allí, a la vuelta de la esquina.

Ahí sí que Aneth soltó la carcajada.

FIN

Aneth y Goya regresan en la tercera novela de la serie *Aneth y Goya: Lealtad y sangre*. Obtenla aquí:
https://geni.us/2y2cM

NOTAS DEL AUTOR

Espero hayas disfrutado la lectura de esta novela.

Si te gustó mi obra, por favor déjame una opinión en Amazon. Las críticas amables son buenas para los autores y los lectores... y un estudio reciente (realizado por mi persona) también indica que escribir una opinión positiva es bueno para el alma ;)

¿Sabías que ahora también puedes disfrutar de mis historias en audiolibros? Te invito a gozar de esta experiencia con mi relato *Los desaparecidos*. Escúchalo **gratis** aquí: https://soundcloud.com/raulgarbantes/losdesaparecidos

Puedes encontrar todas mis novelas en mi página web: www.raulgarbantes.com

Finalmente, si deseas contactarte conmigo puedes escribirme directamente a raul@raulgarbantes.com.

Mis mejores deseos,
Raúl Garbantes

amazon.com/author/raulgarbantes

goodreads.com/raulgarbantes

instagram.com/raulgarbantes

facebook.com/autorraulgarbantes

twitter.com/rgarbantes

Made in United States
Orlando, FL
21 August 2023

36304612R00136